OHSAMA BUNKO

「足もみ」で心も体も超健康になる!

田辺智美

はじめに

足もみでスッキリ、心と身体の大掃除。病気にならない、元気いっぱいの人生のために！

私が「足もみ」に出会ったのは、今から十数年前のこと。交通事故によって重度のむち打ち症になり、激しい頭痛やしびれ、肩コリ、倦怠感《けんたいかん》などの様々な不調とつきあう日々が始まった時です。

初めて自分で足をもんだ瞬間に、もうすでに身体が回復して健康になれたような喜びと、この先ずっと「足もみ」が私の健康の味方になってくれると確信できた感動は、今も忘れません。私が2000年に「足健道《そくけんどう》」さと足ツボ療術院を開業するに至った「原点」ともいうべき感動です。

足もみにとりくんだ当初は自己流のつたないもみ方でしたが、それでも、**むち打ち症や虚弱体質、副鼻腔炎《ふくびくうえん》などが次々と改善**されていきました。しかも**脚が細くなり、子供のころからのO脚も真っ直ぐになった**のです。時期を同じくして、私の母が心筋梗塞で、手術が必要かもしれないと診断されました。母の足はとても冷たくてむくみ、爪は薄黒く、くるぶしが腫れ上がり、ふくらはぎには静脈と毛細血管がはっきりと見えていました。

母の足をもむと「痛い！　痛い！」と叫んでいました。しかし、もみ終わると、いったのです。

「あぁー！　全身に血がまわっとる！　身体が軽い！」

その日から毎日、母の足もみをするうちに、みるみる元気になっていきました。

そして2年後、カテーテル検査を受けると、**「うーん……これはよくなっているね。すごいね！」**と医師をうならせるほど、細くなっていた血管が太くなり、グングン血が通うようになっていたのです。

「足もみ」は、副作用のない、健康を守る最高の薬！

健康がすべてではありません。しかし、健康でなければ思うように動けなくなります。人生90年でも100年でも、この身体で生きていくのです。

「毎日足をもむ」とは、そんな大事な身体を思いやり、「毎日、身体にいいことをする」ということです。

部屋の掃除、庭の掃除などは、してもしても埃《ほこり》や枯葉がたまるものです。だからといってしなければ、不衛生で病気になったり、荒れ果てたりします。

人間の身体も、同じように考えてみましょう。

生きる限り、身体は酷使されるし、ストレスだって毎日たまります。**それを放置せずに、毎日身体に、感謝とご褒美を与える気持ちで、足をもむ習慣が大切なのです。**

足もみを始めると、「あれっ、そういえばあのつらい症状が消えた！」という、嬉しい変化が確実にたくさんでてきます。そしてまた、内側から、ムクムクとエネルギーが湧いてくるでしょう。

これまで、0歳から101歳まで、18000人以上の方の足を施術してきました。そして日々、何十年も続く慢性的な疾患が改善し、また同時に、老廃物が排泄されることにより、足が細く美しくなるのを見てきています。

- **なかなか改善しない慢性的な症状がある人**
- **明らかに不調があるのに、病名がつかず不安を抱えている人**
- **病気になりたくない人**
- **もっと健康になりたい人**
- **足を美しく細くしたい人**

こんな方は、本書の「気になるページ」から始めていただいてかまいません。

しっかりとりくみたい方は「基本のコース」から始めてみてください。

「お金」をかけず、「最短」で「簡単」に「健康とキレイ」が手に入るという二重の喜びをたくさんの人と分かちあいたいと願い、希望の光となるであろう、「足もみ」のノウハウを公開しようと決意しました。

皆さんの喜びの声をお聞かせいただける日を、心から楽しみにしています。

目次

Chapter 2

実践！「足もみ」の基本のコース

効果を最大限に引きだす「コツ」がある

Chapter 3

体調を改善する「足もみ」の極意

「疲れた、だるい、痛い……」を吹き飛ばす！

Chapter 4

医者や薬には極力頼らない！

病気を遠ざける「足もみ」の極意

Chapter 5

治る可能性はゼロではない！

難病にも効果がでた「足もみ」の極意

Chapter 8

元気とヤル気が湧いてくる！
心のダメージがカラッと晴れる「足もみ」

DTP　ケイズプロダクション

Chapter 1

気持ちよくって元気回復！

なぜ「足もみ」でこんなに健康になるのか？

足をもむだけで健康が手に入ると聞いて、
あなたは信じられますか?
事実、足をもむだけで病気知らずの毎日を
すごし、難病と恐れられている病気を克服
した人は数多くいます。
なぜ足もみは健康にいいのか?
どんな仕組みで身体が快方に向かうのか?
その秘密を解き明かしていきます。

西洋、東洋の「いいとこどり」が“全身にいい影響”の理由

本書でお伝えする「足もみ」は、病気やケガの改善に、大変な効果を発揮します。

病気とはいえないいままでの冷え性や不調が消えていき、健康になるのはもちろん、これまで、試していただいた方の中には、高血圧やがん、恐れられている難病を克服した人も数多くいます。不妊症においては、100%の実績です。

本書の「足もみ」を医療機関で行う投薬や適切な運動などと併用すれば、より一層の改善効果が高まることをお約束します。

でもなぜ、そんなに健康になるのでしょう？

本書で紹介するメソッドは、アメリカ人医師が考案した「リフレクソロジー」という足裏マッサージをベースに、中国大陸で生まれた「経絡《けいらく》マッサージ」、そして古代ギリシャやエジプトなどで紀元前から行われていた「リンパマッサージ」の3

つを融合させたオリジナル手法です。それぞれの「よく効く要素」を重視し、特定のマッサージ手法にこだわることなく、最大の効果を発揮できるよう、各要素を組み合わせました。

❶リフレクソロジーの「反射区《はんしゃく》」が効く

リフレクソロジーの最大の特徴は、ふくらはぎや足裏にある「内臓反射区」を刺激すると、それに対応する身体の不調が改善できるという点です。

例えば、「肝臓」の反射区をもめば、肝臓の機能が向上するというわけです。「どこをもむと、どう効果があるのか」を、実際に検証しながら確立したマッサージですので、非常に明確な効果があらわれます。本書の根幹となる要素です。

❷経絡マッサージの「経穴《けいけつ》」(ツボ)が効く

東洋医学では、経絡はエネルギーの通り道ととらえられ、このライン上に「経穴《けいけつ》」、いわゆる「ツボ」があります。

ツボは、外部からの刺激に反応し、全身のエネルギー（気）の流れ道である経絡の流れを正常に整える「反応点《はんのうてん》」として知られます。簡単にいえば、刺激することで病気やケガで乱れた気を正常に戻すことができるというわけです。身体の表面にあって刺激を与えやすく、効果も高いので、本書でも多用しています。

❸「リンパ」の活性化が効く

リンパ（リンパ液）とはとても重要な体液の一種で、血液と同様、全身を循環し、病気などから身を守る免疫機能をつかさどります。リンパの流れをよくすれば、免疫機能は確実にアップします。本書ではこの効果を重視し、リンパの流れをよくすることにも力を入れています。

患部そのものではなく、足をもむだけで、なぜ身体の機能が改善するのか、その仕組みは、現代医学でもはっきりとは解明されていません。ですが、その効果には、目を見張るものがあることは事実です。

誰でも「超健康」で「スリムな身体」に変わる

私は28歳のころ、交通事故に遭《あ》って以来、ずっと重度のむち打ち症に悩まされてきました。何年も病院に通い続けて治療を受けましたが、サッパリ効果がなかったので、自力でなんとかしようと、健康に関するあらゆる資料を集めました。

そして膨大な治療法の中から選んだのが、**いつでもどこでも自分で簡単にでき、あらゆる不調を改善できる可能性がある「足もみ」**だったのです。

足もみを学び始めたころは、むち打ち症のほかにも、たくさんの不調を抱えていました。子供のころから副鼻腔炎《ふくびくうえん》と虚弱体質《きょじゃくたいしつ》に悩まされており、大人になってからも風邪を引きやすく、毎週のように病院通いをしていました。

ところが、足もみを始めたとたん、どんどん健康になっていったのです。**1回も**

むだけで、つちふまずのコリが消え、アーチがしっかりできて、足裏が吸盤のように地面に吸いつくようになりました。首や肩も軽くなり、視界がスッキリと晴れたのです。そして2年ほどで、重度のむち打ち症はもちろん、副鼻腔炎も完治し、さらに長年の悩みだった虚弱体質も卒業できました。足もみのほかには、なにもしていなかったのに、驚くほど体質改善に成功したのです。

足までスッキリ細く、美しくなる

さらに、足もみを続けていくと、「足が細くなる」という、女性にとっては非常に嬉しい効果も実感しています。あくまで健康回復を目的としてもんでいたのですが、ある日、鏡の前に立って自分の後ろ姿を見ると、アキレス腱が見事にクッキリと浮きでていたのです！

今現在、私の療術院では、この足もみをお教えした人々の、施術前と施術後の足の太さを測定していますが、**例外なく全員、サイズダウン**しています。しかも、O脚やX脚、偏平足《へんぺいそく》や外反母趾《がいはんぼし》などの症状も緩和されます。

ふくらはぎは〝第2の心臓〟

歩けない人、寝たきりの人にも朗報

ふくらはぎは、**「第2の心臓」**と呼ばれるほど、血液の循環に対して重要な役割を担《にな》っています。

ふくらはぎには、筋肉線維と並行してたくさんの血管が通っています。歩いたり走ったりして、ふくらはぎの筋肉が収縮すると、血管もしぼられ、そのポンプ機能によって、心臓から足下に流れ降りてきた血液が、再び心臓へ戻されます。

しかし、足の筋肉の収縮が弱くなると、血液がなかなか上半身へ戻りません。本来、血液によって運ばれ、排泄されるはずの毒素も足に停滞し、それがむくみや下半身太り、心臓の負担増など、様々な症状を引き起こします。

このため、全身の血流をよくするために、「1日1万歩、歩きなさい」とよくいわれます。しかし、毎日1万歩のウォーキングに時間を使える人は限られていますし、病気や腰痛のせいで思うように歩けない人もいるでしょう。

そんな方たちにこそ、足もみをおすすめしたいのです。**腰痛や病気のせいで歩けない方でも、自分で、あるいは誰かに自分の足をもんでもらうことさえできれば、歩いたのと同じか、それ以上の効果を得ることができるのです。**

「こんな足の人」は、今すぐもんでほしい

ここで紹介する7つの症状に当てはまるものがある人は、心臓にかなりの負担がかかっている状態であり、なんらかの不調を感じている人がほとんどのはずです。すぐにでも足もみを始めてほしい人の典型例です。

力をぬいて床《ゆか》に座った状態で、「ひざを90度に曲げて」ふくらはぎをゆるませた状態でチェックするのが大切です。

症状❶ふくらはぎがパンパンに張っている

特に運動をしたわけでもないのに、筋肉痛の時のように筋肉がパンパンに張る。これは、自律神経の乱れから、筋肉に負荷がかかっていたり、老廃物がたまりすぎたりしている傾向があります。そのうえ、もむと痛みを感じるなら、血液を送りだす能力が激減している典型例です。

丁寧にふくらはぎをもみほぐし、自律神経の調子を整え、毒素や

ふくらはぎ周辺の状態をチェック

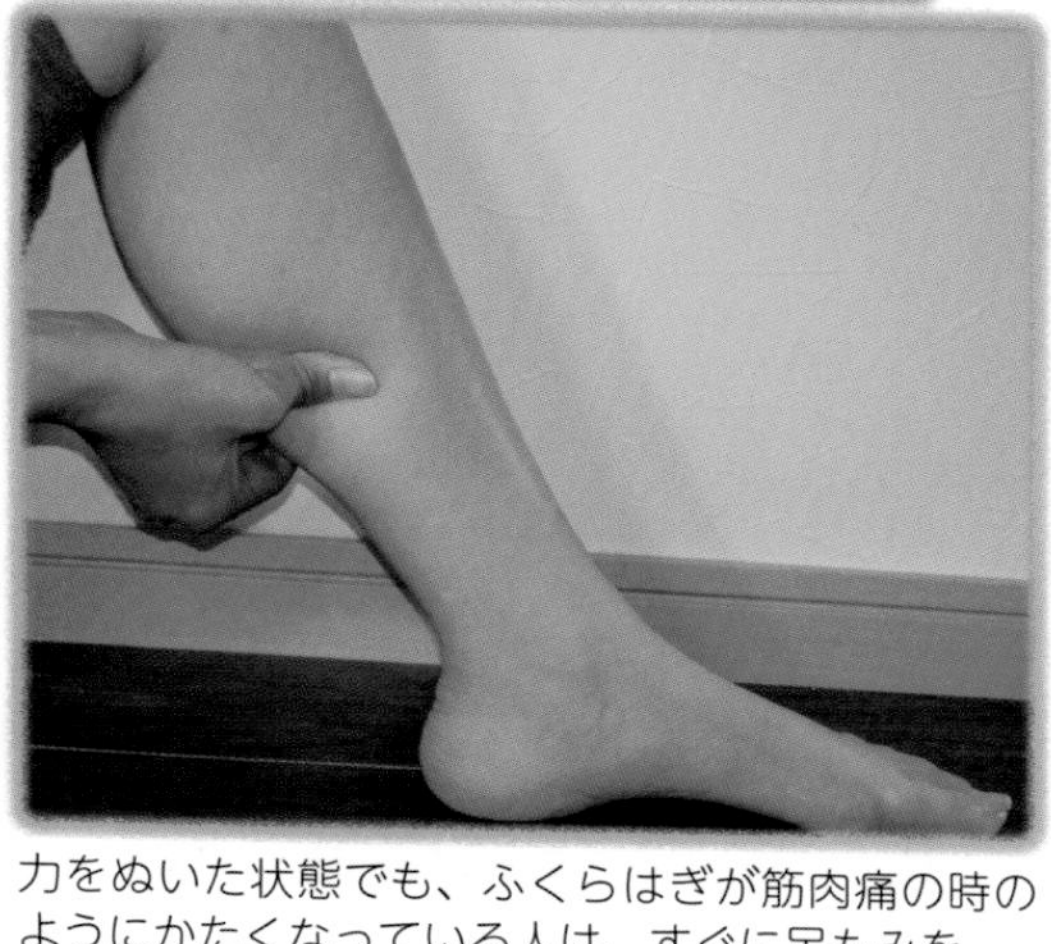

力をぬいた状態でも、ふくらはぎが筋肉痛の時のようにかたくなっている人は、すぐに足もみを。

老廃物をだすステップにとりくめば、必ず、やわらかいふくらはぎと、疲れにくい身体に生まれ変わります。

症状❷ふくらはぎの表面はやわらかいのに、つまむとカチカチ

❶の症状より表面がやわらかい分、救いがありますが、いずれは疲労感やだるさに襲われ、不調をうったえるようになるでしょう。筋肉の収縮運動が減退しており、新陳代謝が悪く、むくみやすくなっています。早めにもみほぐすことが必要です。

症状❸静脈瘤《じょうみゃくりゅう》がある

静脈には、重力に逆らって足先から心臓に向かって血液を運ぶ働きがあり、下半身に血液がたまらないように逆流を防ぐ弁があります。遺伝的な体質、立ち仕事、筋力が弱っている人は、弁の働きが弱って、血液が逆流してしまい静脈瘤ができます。レーザー照射などの外科治療ができますが、再発も多いのが実情です。足もみによって筋肉をほぐして、血流を助ける習慣をつけることで改善できます。

ふくれ上がった静脈瘤

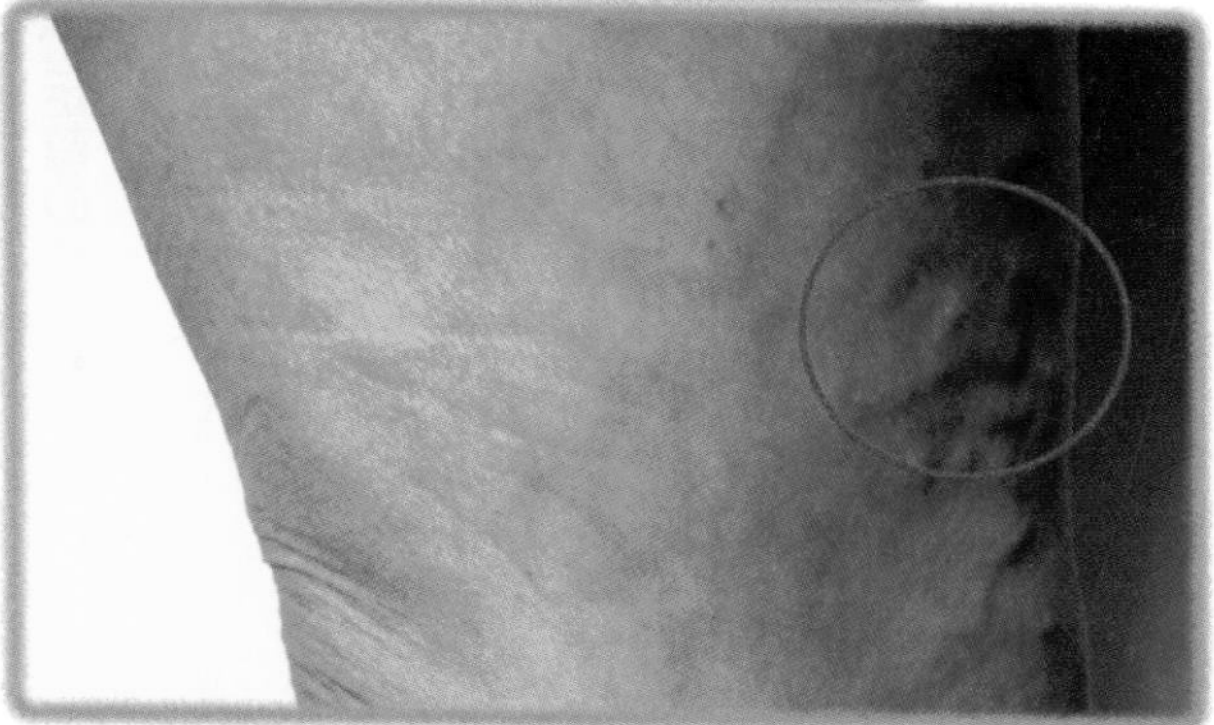

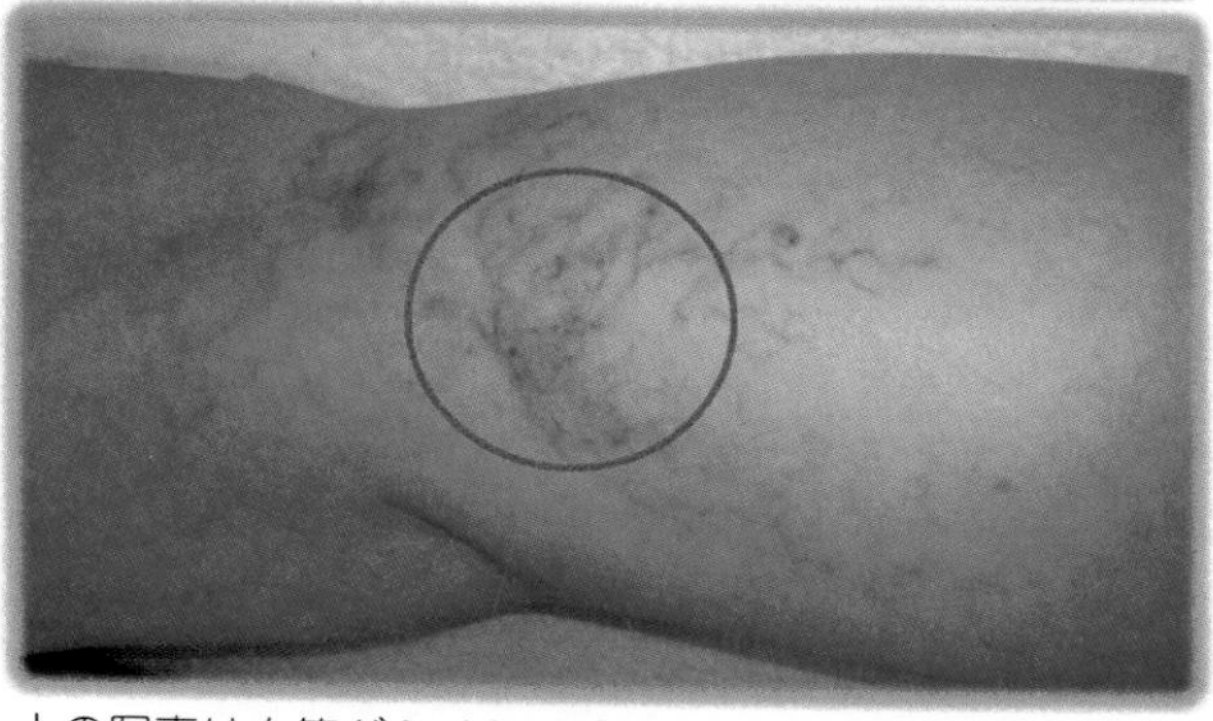

上の写真は血管がふくれて盛り上がった典型的な静脈瘤。血管内に老廃物がたまっているサインといえる。下の写真は「クモの巣状」と呼ばれている静脈瘤。どちらも老廃物の蓄積を疑ったほうがいい。

症状❹足首のくびれがない

アキレス腱の周囲がもったりとして、足首のくびれがほとんどなくなってしまっている状態の人も即、足もみを。

足首が太いのは遺伝や体型のせいではなく、毒素や老廃物が付着しているケースがほとんどです。

しっかり足もみをすれば、必ずキュッとしまった足首になり、全身の肌ツヤもよくなります。

老廃物に埋もれてしまった足首

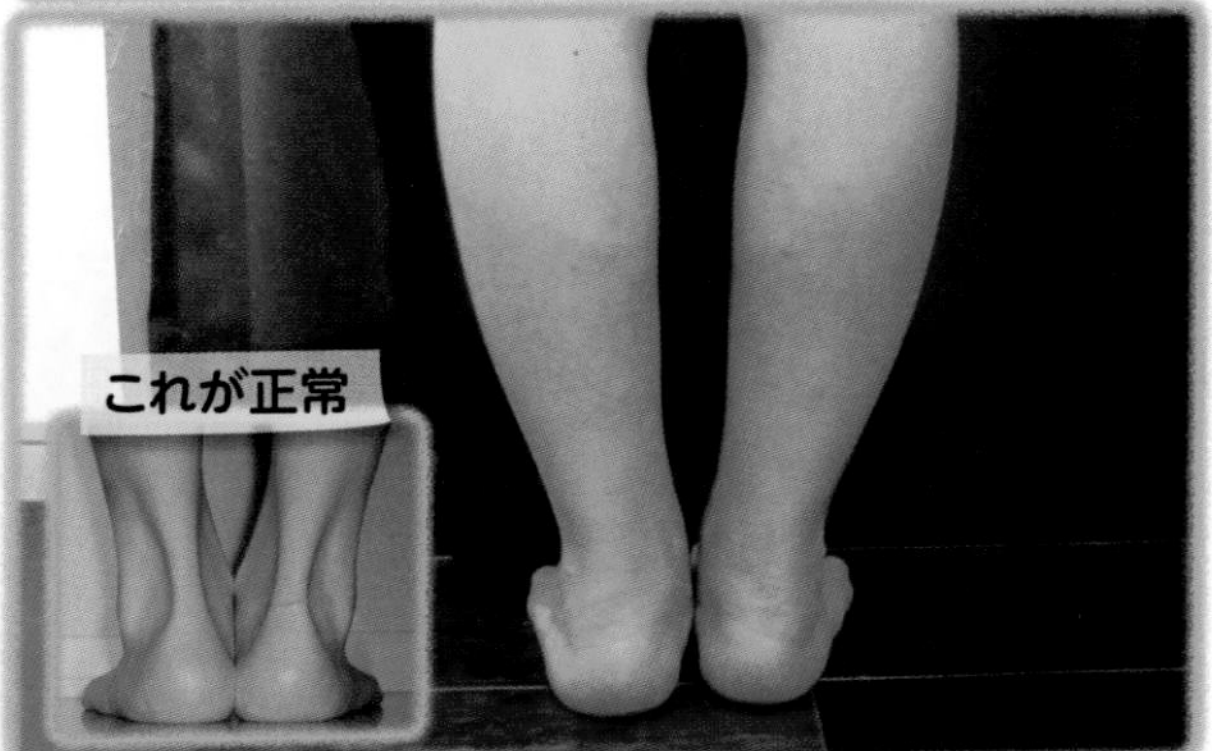

足首の老廃物は、後ろから見るとよくわかる。肥満ではないスリムな人でも、アキレス腱の周りに老廃物がたまり、足首が太くなっているケースが多々ある。

症状⑤くるぶしが腫《は》れている

くるぶし周辺も注意が必要な場所。本来は骨の上に薄い皮膚が乗っているだけのところに、かたい骨をおおいつくすほどブヨブヨと肉が盛り上がっていれば、それは例外なく、血流が低下することによってたまった毒素や老廃物です。

症状⑥下半身がむくんでいる

スネの部分を指先で10秒ほど押してみて、肉が凹んだまま元に戻らない人は、要注意です。腎臓や肝臓機能の低下が考えられます。まさに病気の一歩手前です。

むくんだ足

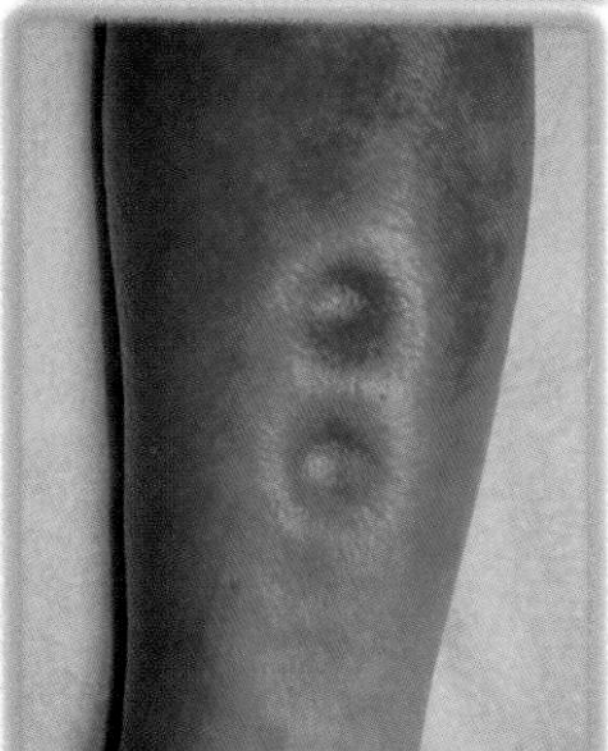

糖尿病患者の足。むくみがひどく、指で押したあとがなかなか消えない。

症状❼セルライトがついている

「セルライト」とは、「脂肪組織に、水分や老廃物が付着したもの」と解釈する人もいれば、「リンパ液が固まったもの」「脂肪の塊《かたまり》」などと解釈する人もあり、きちんと定まっていないのが現状です。東洋医学ではセルライトを一般的に「老廃物」と呼んでいます。

「本来、排泄されるべき不要な毒素・乳酸や尿酸などの代謝産物」で、当然、身体にとって害をなす悪いものであり、一刻も早く除去すべきものとしています。

セルライトをとりのぞくために、脂肪吸引などの外科手術をする必要は、いっさいありません。

足もみを毎日5～10分行うだけで、非常に効率よく、驚くほどなめらかな美脚に生まれ変わります。

以上❶～❼の症状が1つでも当てはまる人には、本書が健康促進の一助になることをお約束します。

どのくらいもみ続ければ、よくなるの?

改善期間は「年齢÷10」を目安に

東洋医学では、身体の不調を治す場合、全身の細胞が生まれ変わる3カ月が、必要な期間の目安だといわれています。

しかし、私の経験上、**改善までにかかる時間は年齢によって、大きく変わる**と実感しています。例えば、同じ症状でも10歳前後の子供の場合、回復までに1カ月もかからなかったケースは非常に多くあります。

反対に、50歳、60歳と年齢を重ねた方の場合、3カ月では足りなくて、5～6カ月ほどの日数が必要でした。つまり、年齢が若いほど回復も早いのです。

こうした経験を元に、「年齢÷10」という目安をよく利用しています。

・10歳の人…10÷10＝1カ月
・30歳の人…30÷10＝3カ月
・80歳の人…80÷10＝8カ月

また、「体質」そのものを変えるには、3年の期間が必要といわれます。

これは、アトピー性皮膚炎やがんなど、根治療法《こんちりょうほう》がいまだに確立されていない難病などにも当てはまります。病院で処方された治療や投薬などと並行し、じっくりと足もみにとりくむ必要があります。

しっかりもめば、病院に通いつめて高額な治療費を支払い続ける負担を減らすことができます。

自分で自分の足をもむだけで、健康な身体が自然と手に入るのですから、ぜひ実践してみることをおすすめします。

足もみをしたらどうなりましたか? 喜びの声を紹介します!

体験談1

30年以上悩んでいた腰痛がスッキリ消えた。

痛みのない人生のすばらしさ!

七尾幸子さん
55歳　主婦

物をとろうとして下を向けばズキッ、しゃがめばジンジン、若いころからひどい腰の痛みにずいぶん悩んできました。腰を伸ばしたくても痛くて伸ばせず、四六時中、顔を苦痛でゆがめていました。

そんな苦痛が、今から2年前「足健道」さと足ツボ療術院に通ってから、きれいサッパリなくなりました。当時、初めての施術で、田辺先生の「大丈夫、必ず治りますよ!」という言葉に勇気づけられて通ったところ、身体の変化に気づきました。

なんと、知らない間にあのひどい腰の痛みが消えていたのです。嬉しすぎて信じられなくて、とても感動しました。腰なんて、ただの1回も、もんだことはなかったのに！

今ではしゃがんで草むしりをしても平気。お陰様で、仕事も家事もめいっぱいできる喜びで、毎日が充実しています。

体験談2 がんの疑いのある肺の影が消えて医師もビックリ

藤田竜七さん
63歳　会社員

60歳になる直前、人間ドックで肺に影が見つかり、「がんの可能性が高いから、しばらく様子を見て、6カ月後にCT検査をしましょう」と医師にいわれました。

発見された腫瘍《しゅよう》がまだ小さかったので、身体に負担をかける細胞採取を避けたのです。〝6カ月後、影が大きくなっていれば悪性〟といわれ、腫瘍が肥大するまでなんの処置もせずに待つことに、大きな不安を覚えたものです。

薬も処方されなかった私にできることは、生活習慣を改善することくらいでした。

ちょうどこの時期、五十肩にもなってしまった私は、会社の上司に「足健道」さと足ツボ療術院を紹介してもらいました。上司は腰痛がひどかったのですが、「足健道」では腰をいっさいもまず、足裏やふくらはぎしかもまれなかったとのこと。それで腰痛が治ったというのですから、肩も治るかも……と、半信半疑で治療を受けたのです。ただ、田辺先生には、肺の腫瘍のことは知らせませんでした。

ある時、田辺先生に足裏をもんでもらっている最中、押されると猛烈に痛いところがあり、「先生、そこはどこのツボ?」と尋ねると「胸です」とおっしゃるではありませんか!　悪いところをもむと痛いというのは、本当だったのです。

驚いた私はそれ以来、自宅でも懸命に足をもむようになりました。

そして6カ月後……。細胞採取の前にCT検査をした結果、なんと肺の影がきれいに消えていたのです!　医師も「不思議だ」と首をかしげていましたが、晴れて

「異常なし」となったのです。

現在は五十肩まですっかりよくなり、妻とともに、一生元気に楽しく暮らせる身体に変わるためにも、足もみを続けています。

体験談3 義母の脳腫瘍の後遺症が、劇的に改善

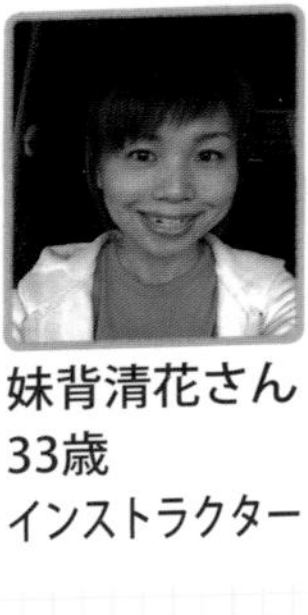

妹背清花さん
33歳
インストラクター

私の夫の母は、10年前に脳腫瘍で倒れました。2回の手術後、後遺症で左半身が完全にマヒ。長い闘病生活が続き、義母も私も、心身ともに疲れはて弱っていったのです。そんな時期、友人を通じて「足健道」を知りました。

施術後、すぐに「身体って変わるんだ！」と、今までにない驚きと可能性を感じました。同時に、「いくら薬を飲んでも治る希望のない義母の身体も、これならよ

くなるかも!」と思ったのです。私はさっそく「足健道」を習い、次の日から義母の足もみを始めました。

義母は、足もみを始めてすぐに好転反応がでて、最初は苦しみましたが、3週間目から改善をし始めました。「マヒして縮こまっていた足の指が開いて、しっかり床面に足が着くようになった」と話してくれたのです。

半年後、義母は家の中で転倒し、骨折して車椅子生活になりましたが、退院してからも1日30分、週6日もみ続けました。

すると、まず、昔からの耳鳴りがなくなり、次に、脳腫瘍で倒れた時から1日1回は起きていた痙攣《けいれん》が起きなくなったのです。

そして開始から1年半、**医師の診察の結果、処方されていた副作用の強い薬を、飲まなくてもよいほどまでに体調が回復したのです。**本人も大喜びでした。

この経験で足もみ効果を確信し、今私は、足もみのインストラクターになっています。

体験談 4

「冷えとむくみと精神不安」を改善。元気な赤ちゃんも生まれました！

畝村佳枝さん
25歳　主婦

私が初めて「足健道」を訪れたのは、妊娠中です。田辺先生の施術を受けた母から、「冷えがとれて羊水がきれいになるらしいよ。赤ちゃんのためにも受けてみたら？」とすすめられたのがきっかけです。

実は私、妊娠前には精神安定剤をたまに服用していましたが、妊娠中は服用できず、さらに初めての妊娠だったので、元気な子供を産めるか不安でした。

妊娠中に足をもむことは問題ないと聞き、安定期に入ってから出産予定日の1カ月前まで、週に1回のペースで定期的に施術を受けたのです。

初めて体験した田辺先生の足もみは、**指がツボにグーッと入る**感じがとても気持ちよく、これは効きそうだと感じました。ウトウトとしてしまうくらいリラックスでき、もっと時間が長ければいいのにと感じるほどです。この時、田辺先生から「かなり足が冷えている」と指摘され、それをきっかけに自分でも足もみをするようになりました。そして**冷えとは無縁の体質に改善**することができたのです。

妊娠中は、足をもむのに合わせ、赤ちゃんが嬉しそうに動いていました。お腹に感じるくすぐったいような心地よい刺激は、まるで赤ちゃんが「気持ちいいよ」と身体で表現してくれているようで、とても温かい気持ちになったものです。

妊娠中は、体重増加、血圧低下、血糖値増加、足のむくみなどが起こりやすいといわれていますが、お陰様でなんのトラブルもなく、初産《ういざん》としては短い9時間で無事元気な女の子を産むことができました。

産後の回復もとても順調。**体重はすぐに元に戻り、産後に会った友達にも「出産したのに全然太ってない!」と驚かれました。**それどころか、両足首がそれぞれ0・9センチも細くなったのです。せいぜい20センチしかない足首の太さが一気に1センチ近く細くなると、他人にもはっきりと細くなったとわかります。この痩身効果は、誰にでもでるそうなので、足を細くしたい人にはおすすめです。

産後うつの症状もなく、妊娠前に飲んでいた精神科の薬もまったく飲まなくて大丈夫になりました。足をもむこと以外、特別なことはしていなかったので、すべて足もみの成果だと確信しています。

体験談5 足首が約5センチ細くなって難病のバセドウ病も完治

丘麻美子さん
40歳
インストラクター

会社員時代の私は、ストレスで毎日ヘトヘトでした。やがて身体の調子を崩し、バセドウ病を患《わずら》い、医師からは「安静にして薬を飲み続けなければ治らない」と宣告され、「仕事も辞めたほうがいい」と、ドクターストップがかかるほど、病気は進行していました。

その後、仕事を辞めて治療に専念しましたが、薬を飲むのがつらく、かえってストレスを感じる毎日でした。そんな時、両親から「足健道」を知らされたのです。

父と母が語る足ツボの効果は、なんだか魔法のような話に聞こえましたが、ぜひともこの目で確かめてみたくなり、施術を受けてみたのです。

いざやってみると、体調が劇的に変化したことに驚きました。ついに探していたものが見つかった！　と感じ、迷うことなく「足もみ」を習うことに決めたのです。

講座で最初に指示されたのは、自分の足首のサイズを測ることでした。

私はバセドウ病さえ治ればいいと考えていたので、サイズダウンにはまったく関心がなかったのですが、私の足は、あっという間に細くなっていきました。

「右足首22→17センチ、左足首21・5→17センチ」と、なんと両足ともに約5センチも細くなったのです！　これには私も驚愕してしまい、なぜ細くなるのか田辺先生を質問攻めにしました。薬を服用していたために足首に老廃物がたまり、冷えがひどくなっていたことを教えられました。

その後も自分の足を毎日もみ続けた結果、バセドウ病の進行もすっかりストップし、完治しました。

Chapter 2

効果を最大限に引きだす「コツ」がある

実践！「足もみ」の基本のコース

「足もみ」は、驚くほど簡単にできるにもかかわらず、得られる健康促進効果が、ほかの健康法に比べて、ケタ違いに高いのです。実施するにあたって、注意点がいくつかあります。

ここではより高い効果を得るための「足もみのルール」を紹介していきます。

必要な時間は、両足合わせてたった10分！

通常、私の「足健道」さと足ツボ療術院では、健康増進のために足もみをする場合、両方の足裏とふくらはぎを、合わせて25分かけてもんでいます。

プロの施術者がじっくりともみほぐすのですから、やはりとても効果があります。

では、普通の人がもんでプロと同じように効果をだすには、どのくらいの時間をかければいいのでしょうか？

ズバリいえば、足もみは毎日10分で充分です。**いえ、わずか5分でも、毎日続けることができれば、なにもしないでいる人よりも、格段に身体の調子がよくなっていきます。**

まさに「継続は力なり」という言葉の通りで、週に1回行うプロの施術と同じか、それ以上の効果を手に入れることができるのです。

肝心なのは、「効果のあるポイントを効率よく刺激する」こと。お風呂上がりや、仕事の休憩時間や病院での待ち時間など、いつでもどこでも、お金をかけずに毎日の生活の中にとり入れられます。

まずはテレビを観ながらで結構ですから、1日10分、自分の身体と心のために時間をあててみませんか？

すべてのツボと反射区入りの「足の大地図」

次ページの「足の大地図」には、本書で紹介しているツボと反射区の位置を、すべて記載してあります。

「ツボ」はその名の通り、ピンポイントでの刺激が必要な場所です。

リフレクソロジーでいうところの「反射区」は、色でぬりわけてあります。

足もみのポイントや、指圧するポイントは、Chapter3から各症状ごとに解説していきます。

左 足裏のツボと反射区

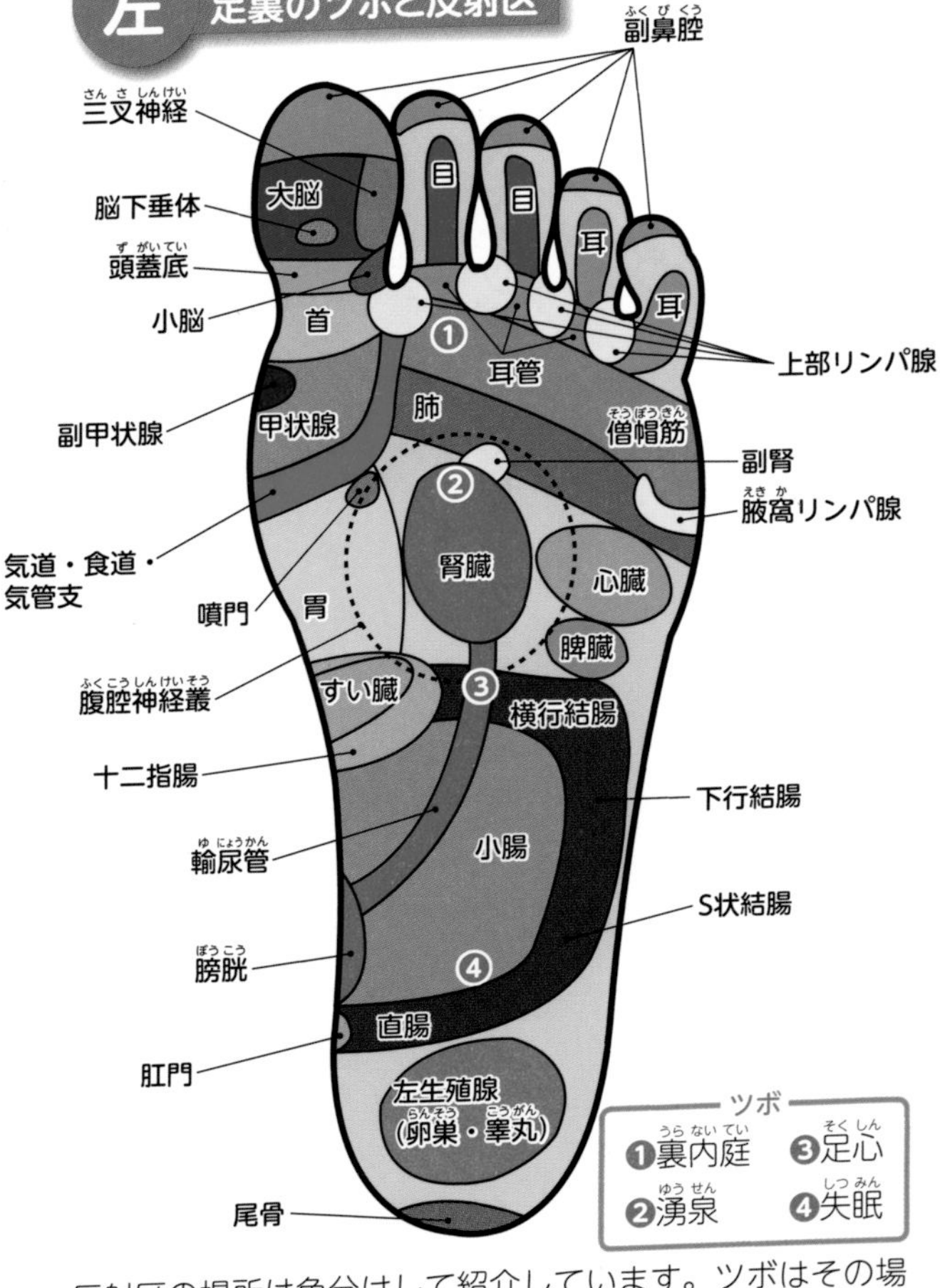

反射区の場所は色分けして紹介しています。ツボはその場所に番号を振り、反射区とは区別して紹介しています。

右 足裏のツボと反射区

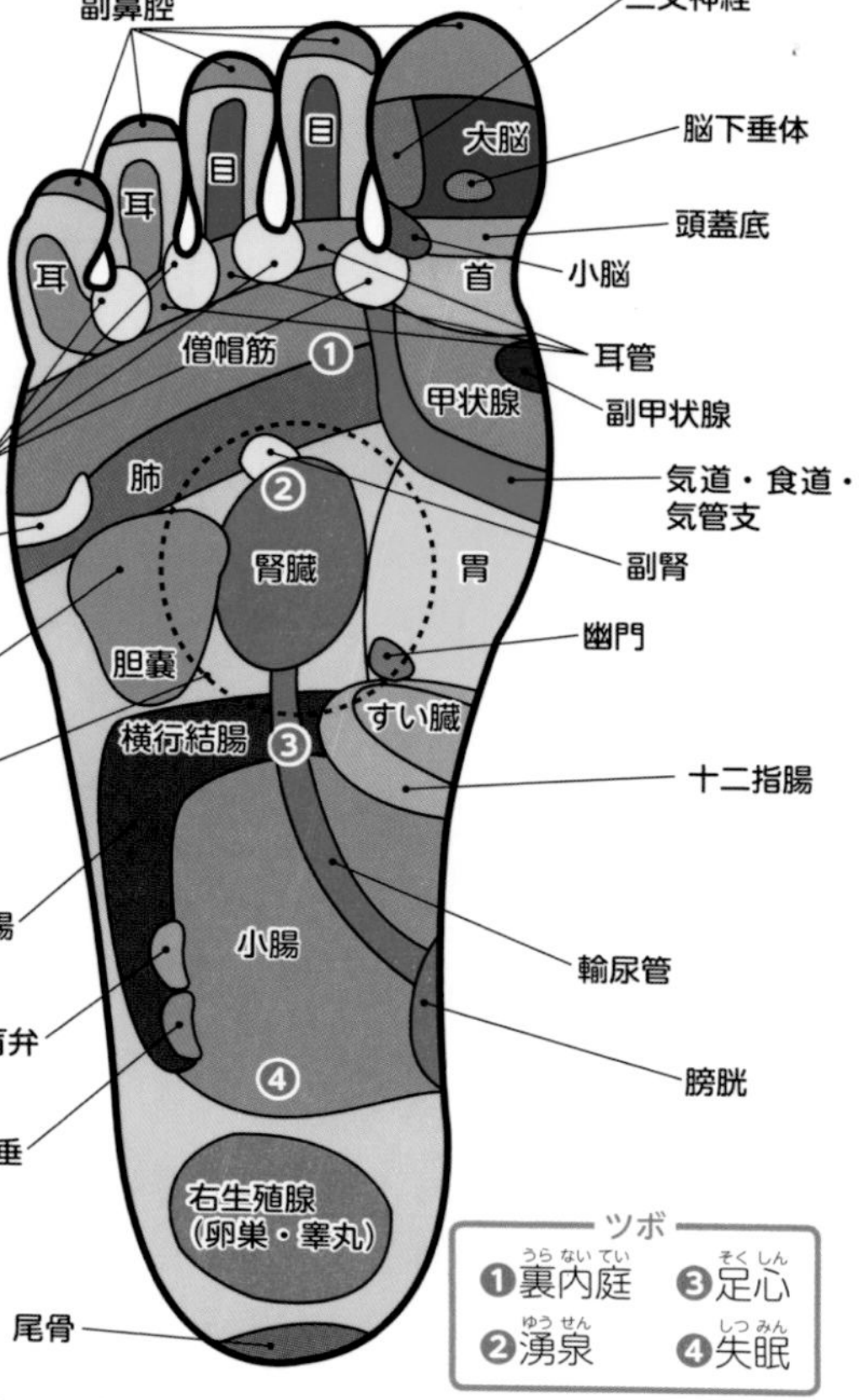

ツボ
❶裏内庭《うらないてい》 ❸足心《そくしん》
❷湧泉《ゆうせん》 ❹失眠《しつみん》

右足と左足では微妙にツボの位置や反射区が違います。
足をもむ前にしっかりと確認したいポイントです。

足の内側のツボと反射区

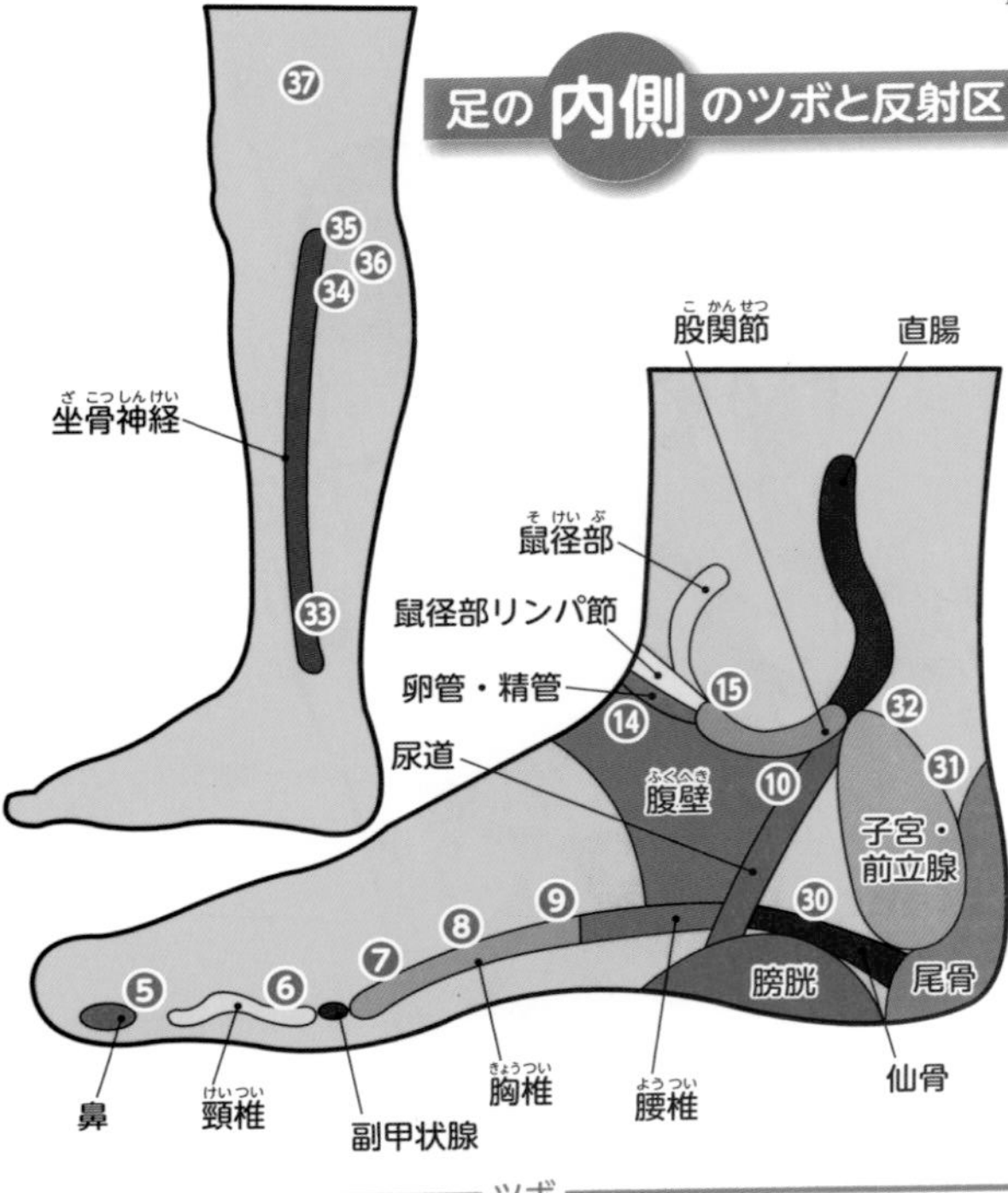

ツボ

5 隠白《いんぱく》
6 大都《たいと》
7 太白《たいはく》
8 公孫《こうそん》
9 然谷《ねんこく》
10 照海《しょうかい》
14 中封《ちゅうほう》
15 商丘《しょうきゅう》
30 水泉《すいせん》
31 大鐘《だいしょう》
32 大谿《たいけい》
33 三陰交《さんいんこう》
34 陰陵泉《いんりょうせん》
35 曲泉《きょくせん》
36 委中《いちゅう》

足の内側はつちふまずからつま先にかけてツボが集中しています。特にくるぶし周辺は重要ポイントです。

足の外側のツボと反射区

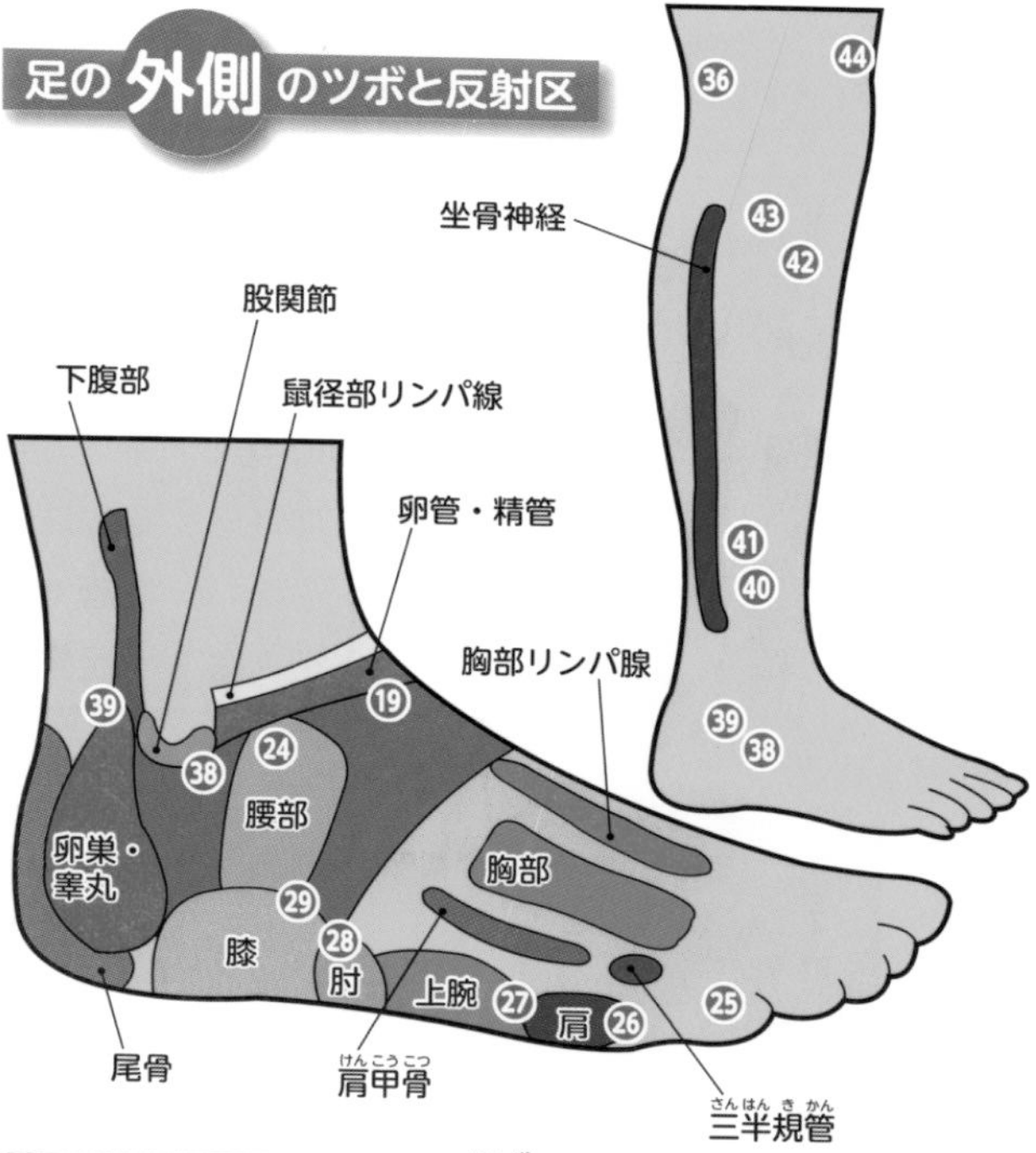

ツボ

⑲解谿《かいけい》	㉗束骨《そっこつ》	㊲血海《けっかい》	㊶陽輔《ようほ》
㉔丘墟《きゅうきょ》	㉘京骨《けいこつ》	㊳申脈《しんみゃく》	㊷足三里《あしさんり》
㉕至陰《しいん》	㉙金門《きんもん》	㊴崑崙《こんろん》	㊸陽陵泉《ようりょうせん》
㉖通谷《つうこく》	㊱委中《いちゅう》	㊵懸鐘《けんしょう》	㊹梁丘《りょうきゅう》

足もみの際、若干のもみにくさを感じるのが足の外側です。力を入れにくければ60ページで紹介しているグッズを使って。

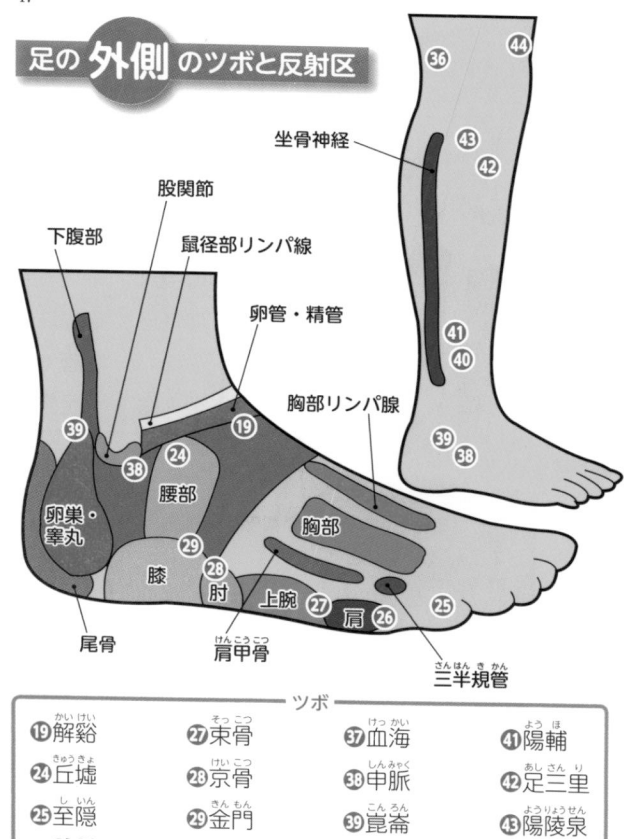

足の甲にあるツボと反射区

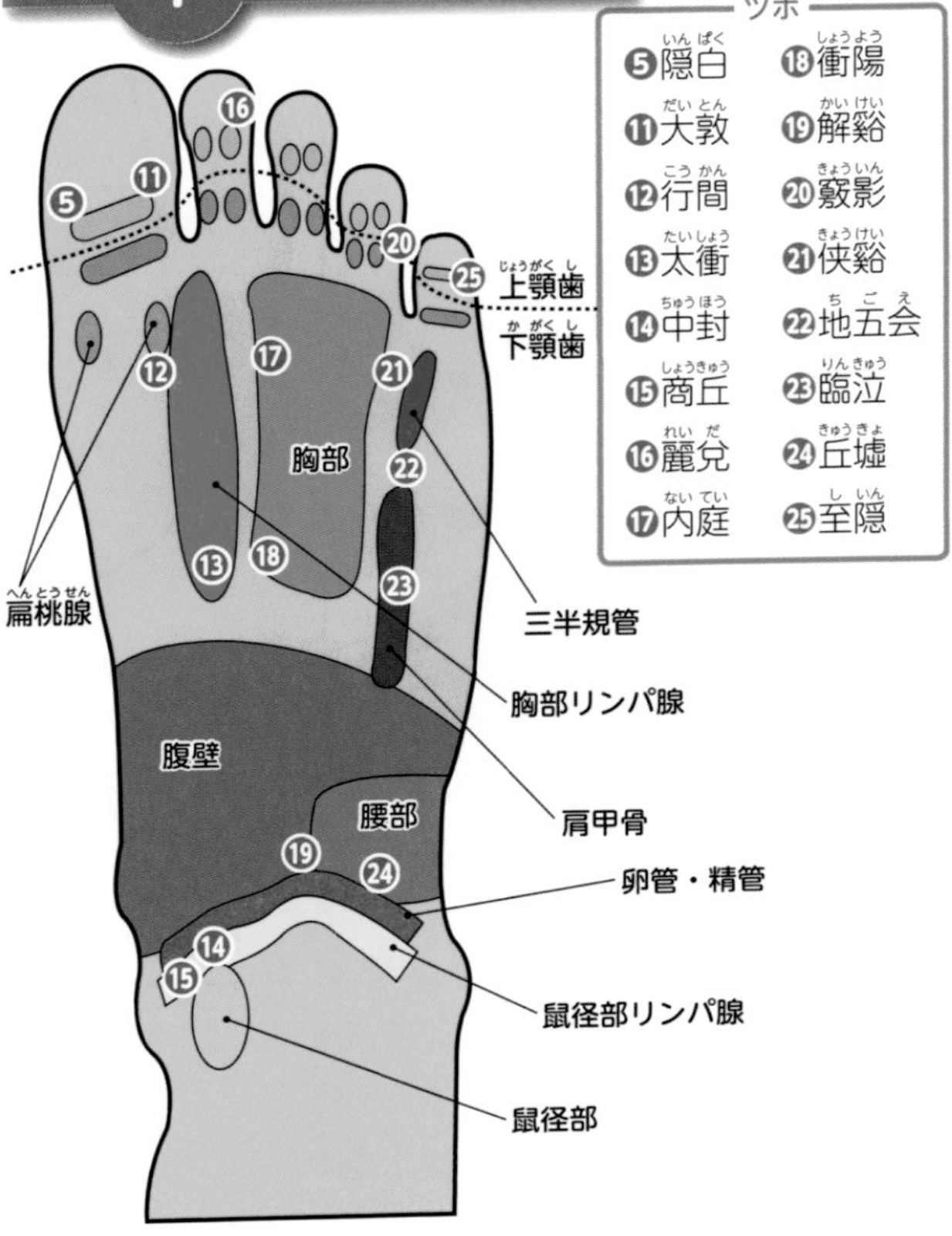

足の甲のツボと反射区は左右とも同じ。足の甲は皮膚のすぐ下に筋や骨があるため、強く刺激すると痛みを感じやすい。力を入れすぎないように刺激することが大切。

足もみ前にチェックしておくといいこと

足もみを始める前に、50ページの**「セルフカウンセリングシート」に、現在の身体のコンディションを記録しておきましょう。**これによって、どこがどれだけ改善したかが明確になり、毎日、足をもみたくなる強力なモチベーションアップの材料になります。身体の不快な症状、痛みを感じる場所をすべて書きだしましょう。さらに、それはいつから感じていましたか？　常に感じる痛みですか？

次に「足の状態」も51ページに記録します。足もみを続けていくと、目で見てわかる、はっきりとした変化があらわれます。かたかった角質層がやわらかくなり、タコや魚の目などは跡形もなく消えていきます。

下半身も劇的に細く美しく変化しますので、**足の太さも測り、記録しておきましょう。**写真も撮っておけば、面白いでしょう。

セルフカウンセリングシート

年　　月　　日

①病気・不調	②時期（いつから？）	③状態（どう痛むのか？）
肩コリ・五十肩		
むち打ち症		
背中痛		
腰痛		
坐骨神経痛		
ひざ痛		
ひじ痛		
関節炎		
腱鞘炎		
視力低下		
耳鳴り		
難聴		
頭痛		
副鼻腔炎		
不眠症		
便秘・下痢		
虚弱体質		
高血圧		
低血圧		
糖尿病		
気管支炎		
心筋梗塞		
胃炎		
生理不順		
タコ・魚の目		
風邪を引きやすい		
やる気が起きない		
疲れている		
コリがある場所：背中・腕・手首・腰・尻・太もも・ふくらはぎ		
その他		

目標の改善期間＝年齢÷10＝　カ月

足の状態・記録シート

年　月　日	状態	1カ月後	2カ月後	3カ月後
太さ	足首　右　cm			
	左　cm			
	ふくらはぎ　右　cm			
	左　cm			
	太もも　右　cm			
	左　cm			
色	きれいな桃色			
	血の気がない (白っぽい)			
	赤紫色			
	赤黒い			
	黄色っぽい			
温度	・冷えている <強・中・少>			
	全体的　指先　かかと			
	・ほてりがある			
かたさ	かたい			
	ハリがある			
	むくんでいる			
	シワシワ			
	やわらかい			

効果がでやすい人の条件とは？

さて、セルフカウンセリングシートを記録したら、あとは足もみを始めるだけです。ですがその前に、「効果のでにくい人がいる」という事実を知っておいてください。

効果がでやすい人は、下記の表の項目に当てはまるものが多い人です。

- □ 発病してから3カ月以内
- □ 低体温ではない（平熱で常に36.5度以上ある）
- □ 熟睡できる
- □ 薬を常用していない
- □ 睡眠時間がたっぷり取れている（平均７時間以上）
- □ ストレスが少ない
- □ 規則正しい生活ができている
- □ 適度な運動をしている
- □ タバコを吸っていない
- □ 毎日足もみを実践している

チェックが多い人ほど、効果が早くあらわれます。該当する項目が少ない人は生活習慣を見直してみましょう。薬を常用している方は、足もみの効果がでてきたら主治医と相談し、薬の量を減らすことを検討してみてください。

もっとも、現代人は、この条件をほとんど満たしていないでしょう。Chapter1で説明した「年齢÷10の法則」は、こうした現代人の特徴をふまえたものですので、**この表の条件を満たすよう生活習慣を改めれば、効果があらわれるスピードを飛躍的に早めることができる**でしょう。

重要なのは、「まだよくならない、もっとよくならなければ」と自分に厳しくするのをやめること。足もみはとても心地よい「自分の身体へのプレゼント」です。「きっとよくなる、もっとよくなる」と想いをこめて、少しずつよくなっていく変化を感じてください。

「テクニック」は、5種類マスターするだけ

「足健道」のもみ方は、とても簡単。次ページから紹介する5つのもみ方を知っておけばOKです。

もみ方1 ピンポイントでツボを刺激「鋭角プッシュ」

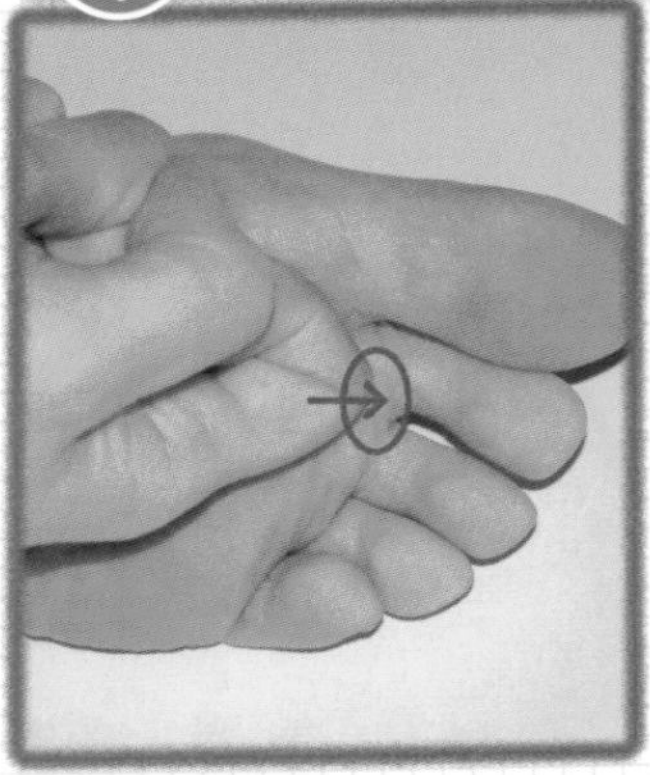

手の人差し指を曲げ、突起した関節部分でツボを刺激する手法。力が一点に集中するため、腕力がない人でも効率よく刺激できる。ただし、ツボに関連する身体の部位に異常があると激痛が走ることがある。最初は力を弱めにしながら徐々に力を入れていくこと。プロも多用する、もっとも基本的なツボの刺激法。

もみ方2 広範囲を刺激「鋭角スライド」

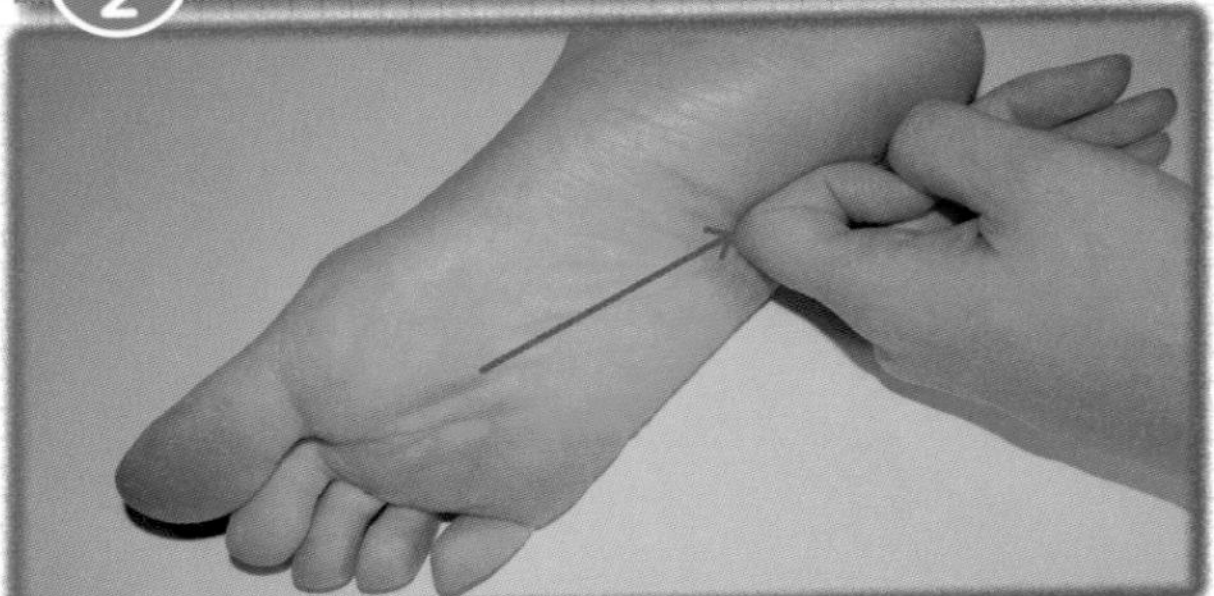

鋭角に曲げた人差し指の関節部分を使って、皮膚の上をしごく手法。老廃物がビッシリとついている部分をしごくと激痛を感じることがあるので、力の加減を調節しながら使う。

もみ方3 ソフトにツボを刺激「親指プッシュ」

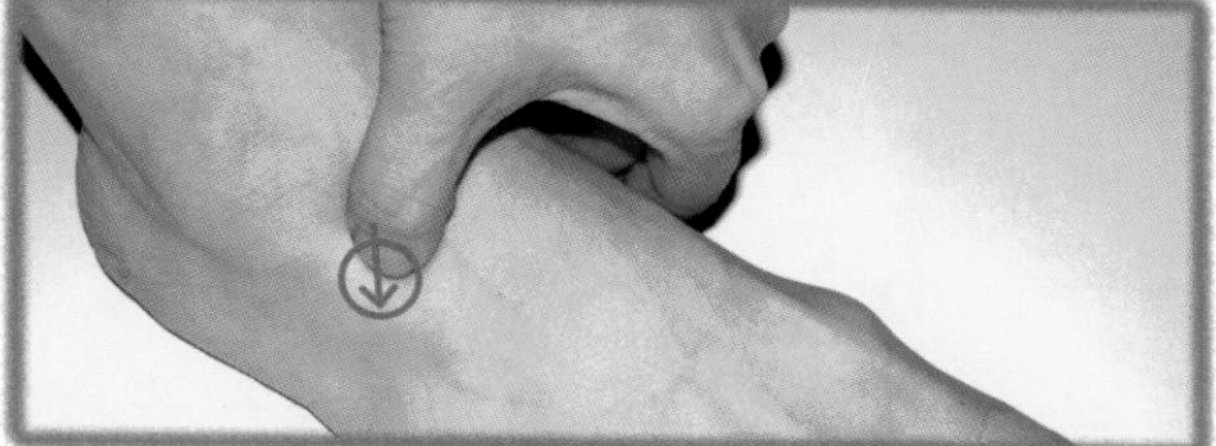

手の親指に力を入れて刺激を与える。日本人であれば誰もが無意識に使っている施術方法。鋭角プッシュだと痛すぎる部分は、これで刺激すると「イタ気持ちいい」を実感できる。健康状態が改善するにつれ、痛みがなくなっていく。

もみ方4 広範囲をソフトに刺激「親指スライド」

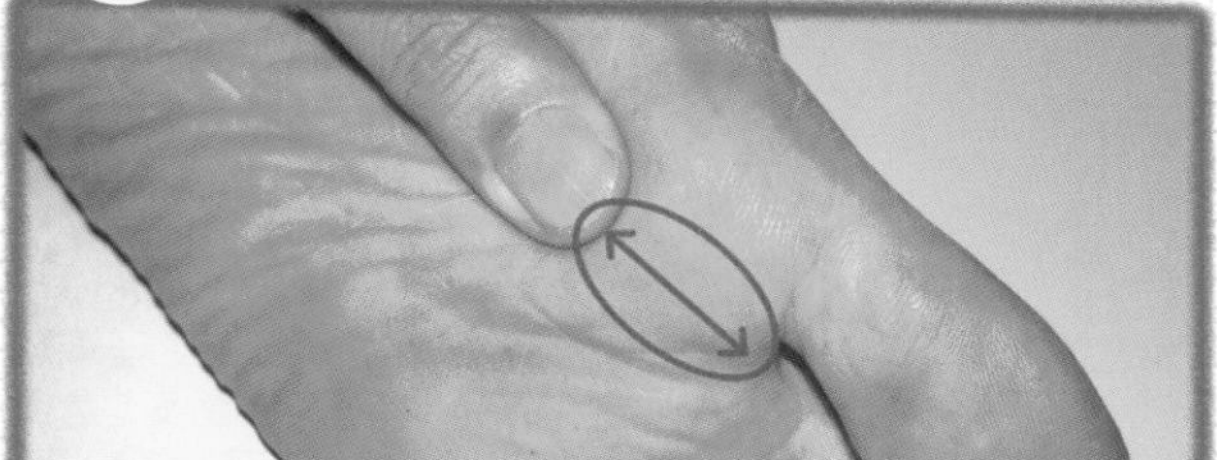

手の親指の腹で圧を加えたまま、施術したい範囲をすべらせていく。親指ではもみにくい場合は、鋭角スライドと使いわけていくといい。鋭角スライドよりも刺激がソフトなので、骨や筋のすぐ上にある反射区を刺激するのに適している。

もみ方⑤ 安定圧をかける

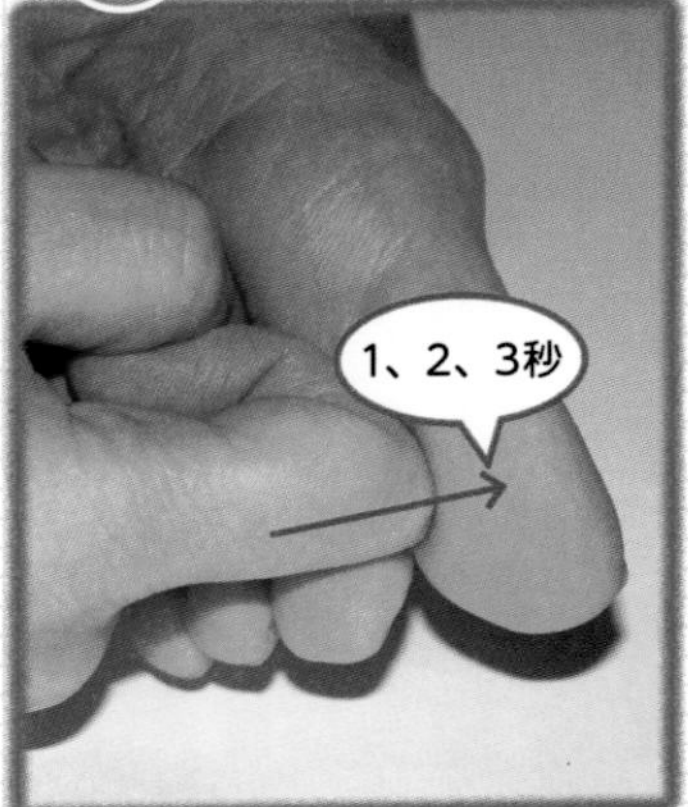

３秒間、一定の力を入れて押し続けることを安定圧をかけるという。痛すぎず弱すぎず「イタ気持ちいい」程度が重要。ほどよい強さは、副交感神経を優位にして、リラックス状態を作ってくれる。また、痛みを強く感じる箇所は、「老廃物が多くたまっている」「機能が低下している」箇所でもある。かたいところや痛みを感じる場所は2、3回繰り返して安定圧をかけると効果はアップする。

すべての人に毎日10分、もんでほしい「基本のコース」

それでは、すべての方に毎日実践していただきたい「基本のコース」を紹介します。これは全身の代謝機能を活性化させると同時に、Chapter3以降で紹介する症状別の反射区を刺激した時の効果を高めてくれます。本書でもっとも重要な基本の足もみです。次の❶〜❺まで、左右の足をそれぞれ5分ずつ、合計10分かけてもみましょう。1カ月継続すれば、驚くほどの改善効果が必ずあらわれます。

①腎臓《じんぞう》➡輸尿管《ゆにょうかん》➡膀胱《ぼうこう》の反射区を刺激して排毒機能を高める

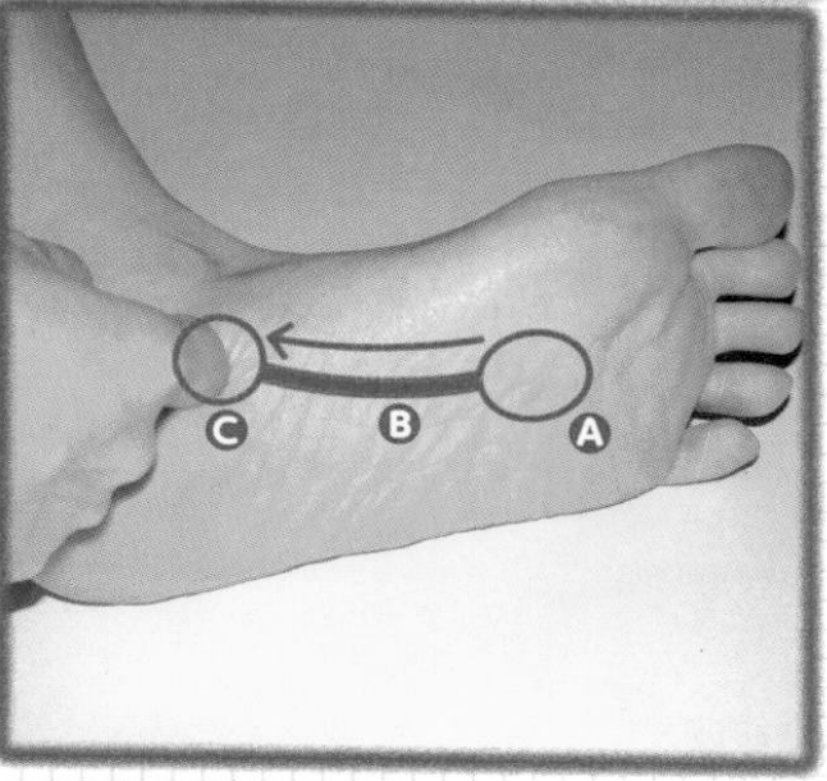

Ⓐ腎臓の反射区を鋭角プッシュする
手の人差し指を鋭角にして、イタ気持ちいいところまで深く押し、３秒間の安定圧をかける。

Ⓑ輸尿管の反射区を鋭角スライドで流す
腎臓と膀胱の反射区を斜めにつなぐラインを、人差し指で作った鋭角でなでる。膀胱から腎臓へと戻らず、一方通行で刺激する。

Ⓒ膀胱の反射区を鋭角プッシュする
イタ気持ちいいところまで深く押し、３秒間の安定圧をかける。
A〜Cをセットとして、2〜3回繰り返す。

②尿道の反射区を親指スライドで流す

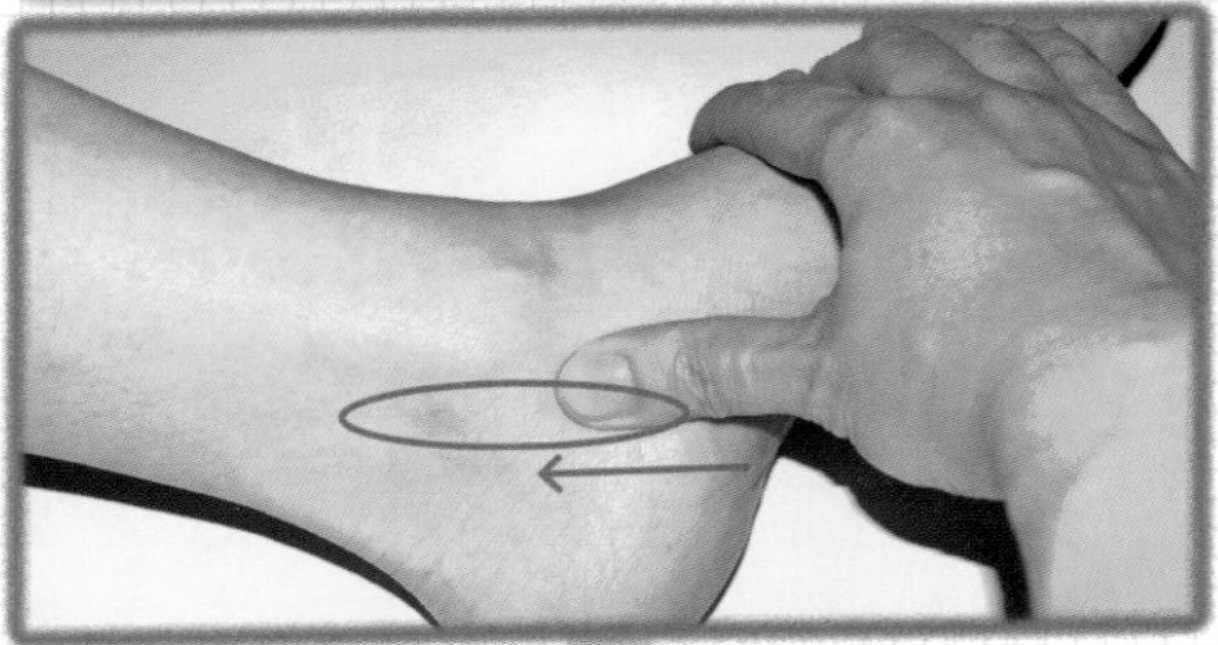

くるぶし下からアキレス腱に向かって老廃物を追いやるように、親指の腹をすべらせる。2～3回繰り返す。

③生殖腺の反射区を鋭角プッシュする

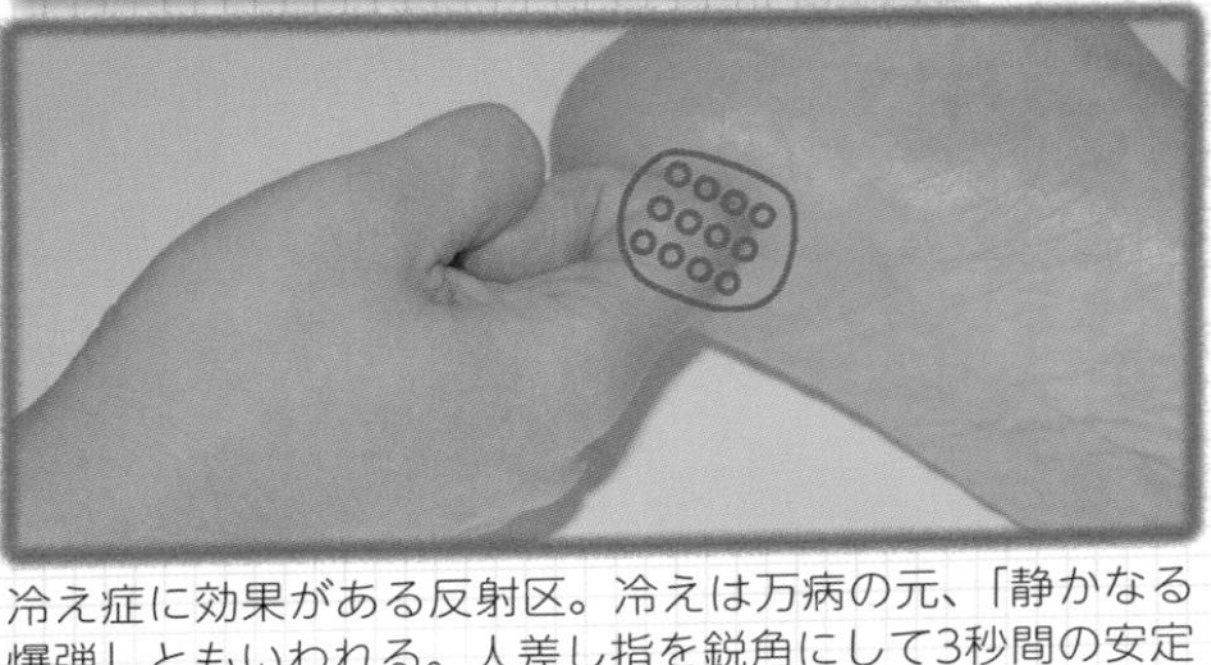

冷え症に効果がある反射区。冷えは万病の元、「静かなる爆弾」ともいわれる。人差し指を鋭角にして3秒間の安定圧をかけ、点でかかとを埋めつくすように押す。かかとがやわらかくなってくれば、冷えもとれるし改善効果も上がる。

④ふくらはぎ全体を丁寧にもみこむ

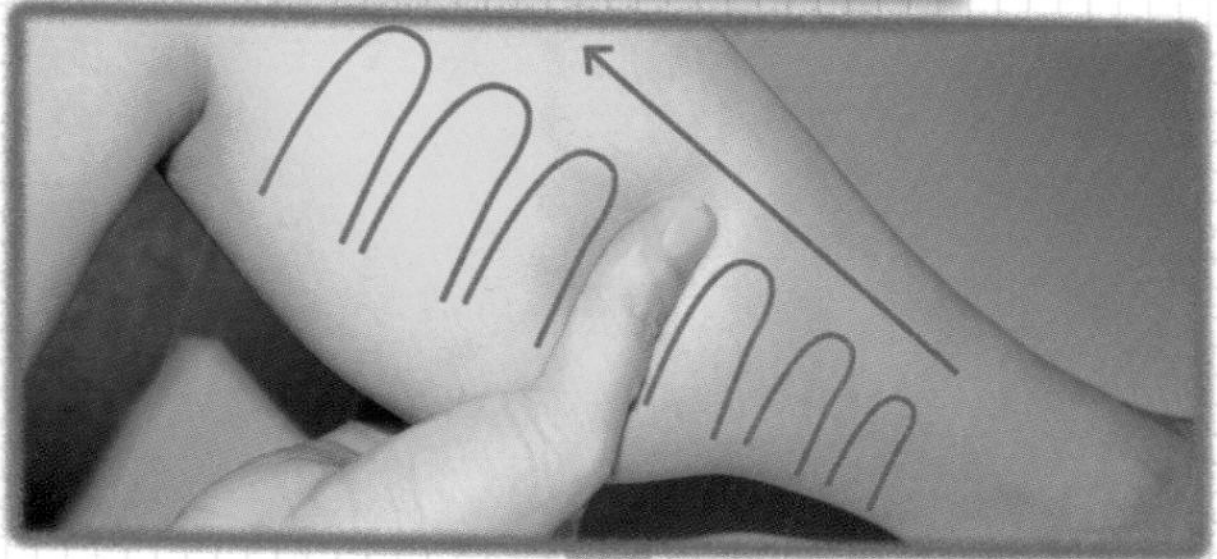

「第2の心臓」と呼ばれるふくらはぎをもみ、血液を押し上げる働きを強化させる。アキレス腱から上半身へ向けて、筋肉をしっかりつまんでしぼりだすように全体を強めにもみこむ。

⑤足首を回す

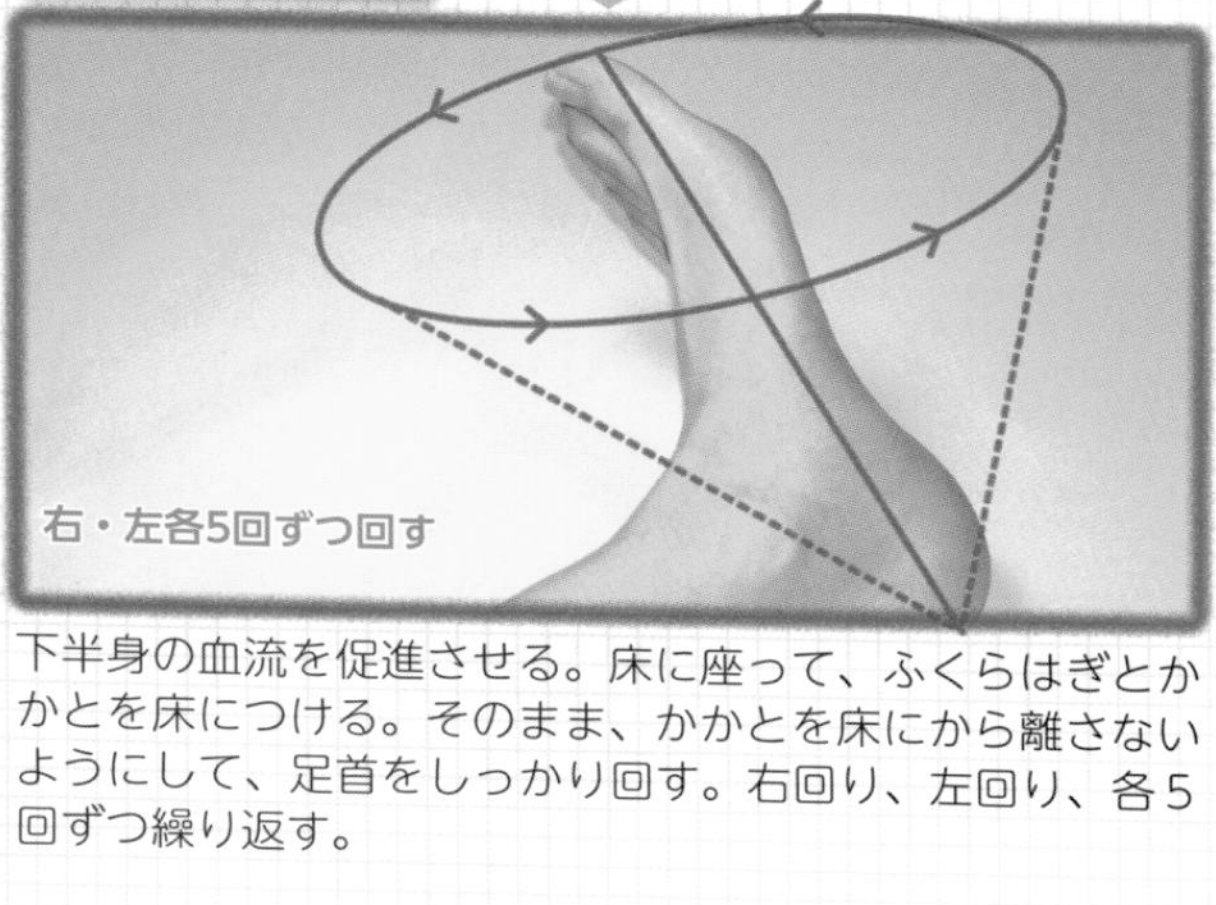

下半身の血流を促進させる。床に座って、ふくらはぎとかかとを床につける。そのまま、かかとを床にから離さないようにして、足首をしっかり回す。右回り、左回り、各5回ずつ繰り返す。

あると便利！足もみアイテム

古来より「手当て」という言葉があるように、手には身体を癒すパワーがあります。ですから足もみも、自分の手で行うのが理想ですが、指に力の入らない方や、手が痛くなってしまう方などは、足もみが苦痛になるのを避けるためにも、専用の棒などを使うことをおすすめします。棒を使ってもむと、心地よさは半減しますし、かたくて痛

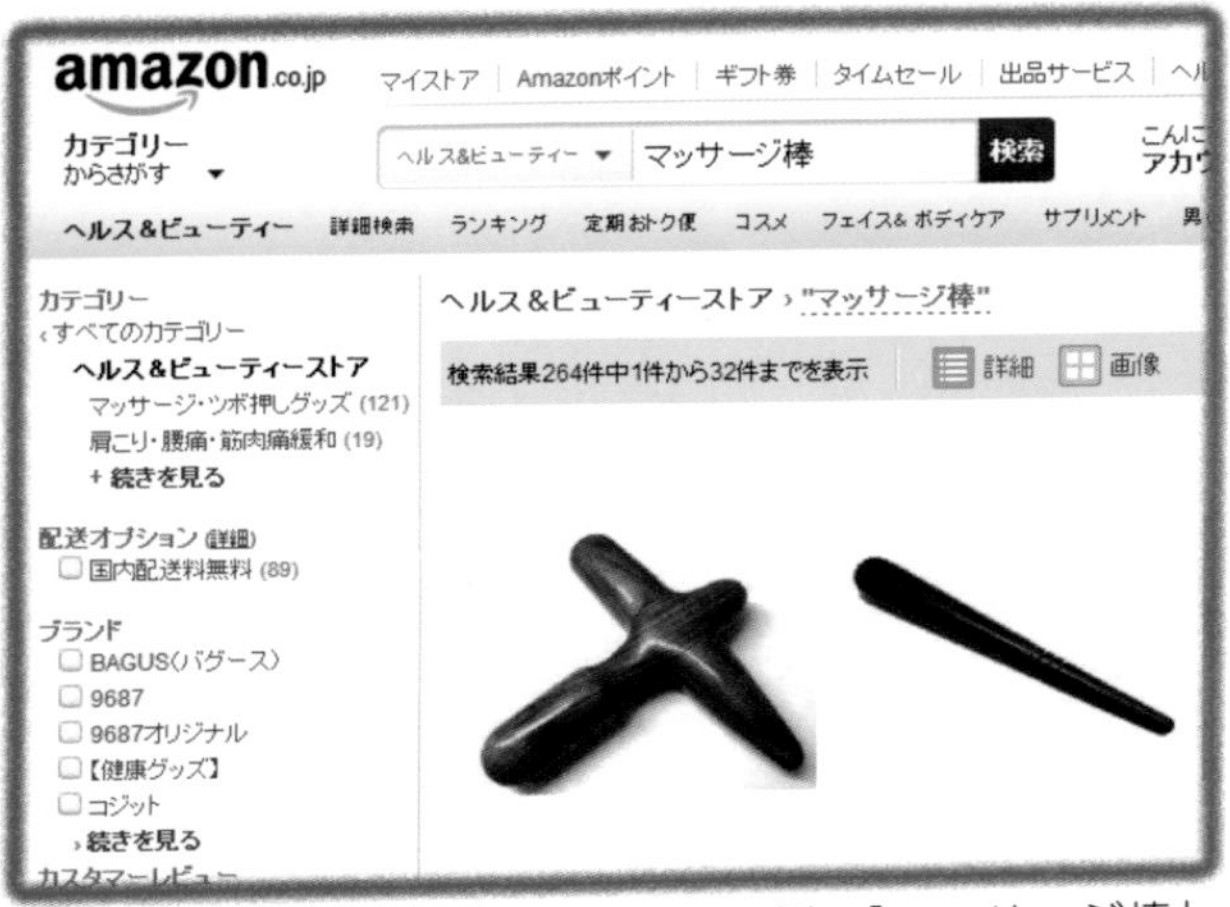

amazonで購入できる足もみ棒の一例。「マッサージ棒」で検索すると、いろいろ見つかる。価格はほとんどが1000円以下で購入できる。

いことも多くなります。ただし、確実に効果は得られます。自分の手でもむのが少しでも億劫《おっくう》な時は、率先して棒を使いましょう。**たとえ機械的になったとしても、毎日継続すれば、1日休むよりも断然、身体にいいのです。**

また、「足もみクリーム」もおすすめです。皮膚と皮膚がこすれる時に生じる摩擦《まさつ》を少なくし、より少ない力でラクにもめます。私も施術する際には必ず使用しています。

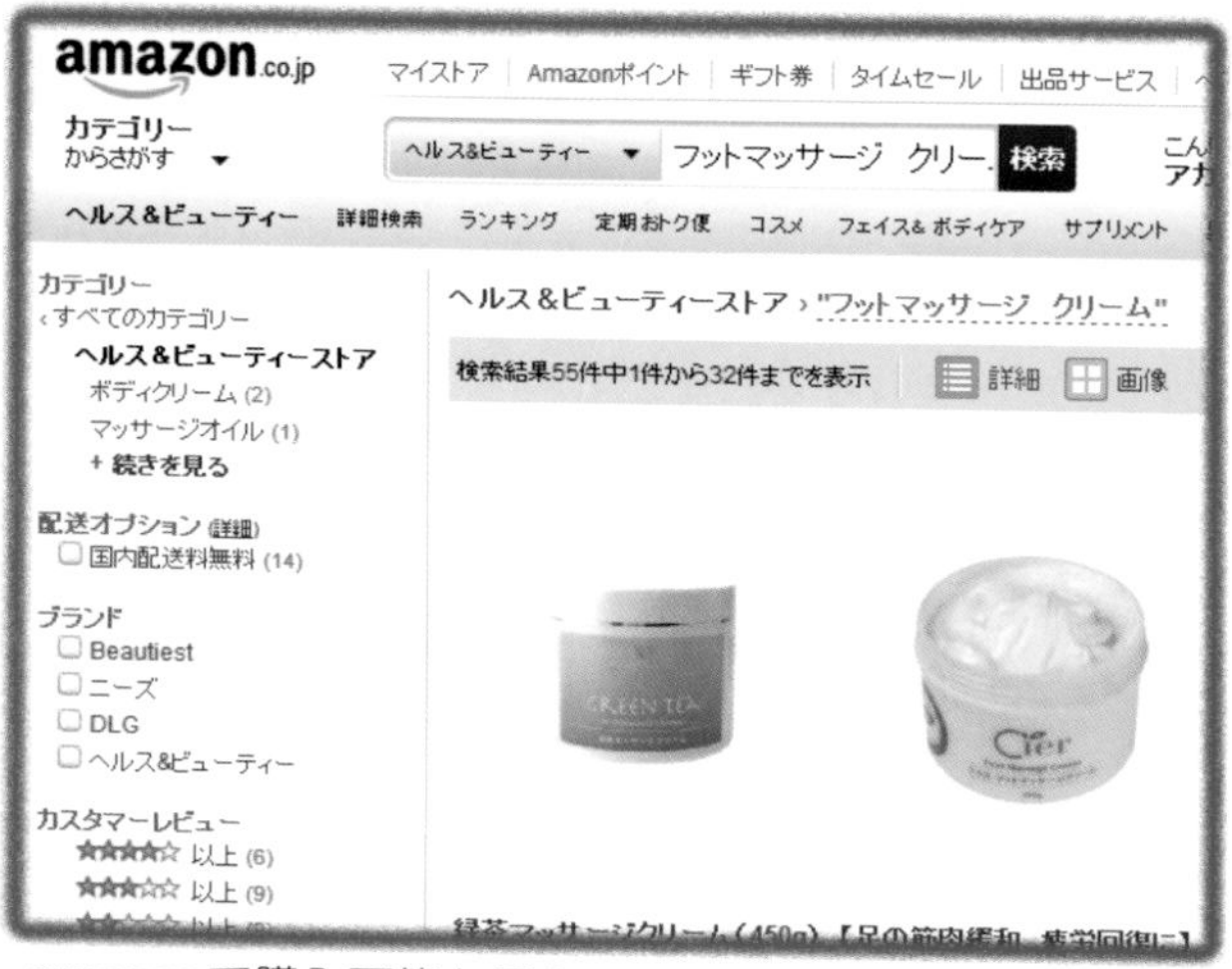

amazonで購入可能な足もみクリームの一例。「フットマッサージ クリーム」で検索すると、いろいろ見つかる。

「症状別のコース」は、たった3～30秒でOK

通常、健康促進が目的であれば56～59ページで紹介した「基本のコース」を行えば充分ですが、**気になる症状がある方や重病を患っている方、長期的な治療や体質改善にとりくんでいる方などは、「基本のコース」**を行ったあとにChapter3以降で紹介する病気やケガ別の「症状別のコース」を強くおすすめします。

「基本のコース」を行ったあとは、全身の代謝機能が活性化するため、ほかのあらゆる足もみが、より効果的になるからです。

基本のコースさえ終わっていれば、Chapter3以降で紹介する症状別のツボ押しは3秒も押圧できれば充分ですし、反射区をしごいたりする場合でも、30秒もやれば充分な効果が得られます。

守るとなおいい！ 6つの注意事項

非常に効果が高い足もみですが、次の6つの項目を厳守してください。

❶満腹時は避ける

食事の直後は、身体は「消化と吸収」にエネルギーを使っています。そこでいくら足をもんでも、排出の効果は半減してしまいます。食後、少なくとも30分経過してから始めましょう。

❷「1週間に1回30分」より、「毎日5分」

週に1回長時間行うよりは、短時間でも毎日続けたほうが、足もみの効果は実感しやすいものです。より早く効果をだしたい場合は、「基本のコース」と「症状別のコース」をセットで、朝、昼、晩と1日3回実践してみましょう。

❸故障のない足からもみ始める

西洋で生まれたリンパマッサージでは、心臓から一番離れている右足から少しずつ血流をよくしていくことを推奨しています。

反対に、東洋生まれの経絡マッサージでは、左足からもむことを推奨しています。これは右足が陰、左足が陽であり、陽（左足）からの刺激が陰（右足）の働きを高めるという陰陽五行説の考え方をとり入れているからです。

どちらからもめばいいのか、判断に苦しむところですが、**私の経験上、どちらからもんでも問題はありません。**万が一を考え、どちらかの足にケガや病気があるなら、その反対側の足からもむといいでしょう。

❹もんだら、コップ1杯の白湯《さゆ》を飲む

足もみが終わったら、コップ1杯の白湯を飲みましょう。足もみによって動きだ

した老廃物を体外へ排出しやすくするためです。ただし、**冷たい水やスポーツドリンクは身体を冷やすので問題外。温かいお茶は飲みやすいのですが、成分が身体の負担になります。**スムーズな排泄のためには、成分のない白湯がベストです。

❺「イタ気持ちいい刺激」を心がける

ギャーッと悲鳴を上げるほど強く押して、筋組織や血管を傷つけては本末転倒。強すぎる刺激はNGです。足もみに限らず、効果的な施術は「痛すぎず、弱すぎず」が基本です。「痛いけど気持ちいい」という、**ほどよい刺激がもっともリラックス効果が高く、**自然治癒力を高めます。

❻生理中・妊娠中でもOK

妊娠初期の妊婦さんの場合は、痛みに耐えるために足を踏ん張ってしまうほどの強い刺激を与えなければ、足もみをしても大丈夫です。「足健道」では、安定期に入ったという医師からの確認を得た妊婦さんに施術を行っています。

驚かないで！ 4〜5日目にでる回復のサイン「好転反応」

足もみを4〜5日ほど続けると、身体に蓄積していた老廃物が分解され、本格的に体外に排出され始めます。

この時、身体のあちこちで一見、症状が悪化したかのように見える現象が起こり始めます。

実はこれは、「好転反応」と呼ばれるもの。この反応がでるということは、**「血流がアップする→冷えがとれる→排泄機能がアップする→自然治癒力がアップする→免疫力がアップする」**という段階を踏んでいる証しであり、体質改善への一時的な反応です。

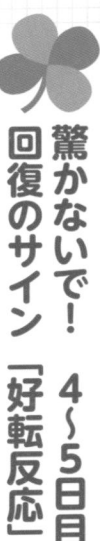

特に、念入りに足もみをしたあとに発生しやすい傾向があります。

たまっていた毒素などの排泄が完了すれば、回復のための好転反応は止まりますので、心配はいりません。

主な好転反応の具体例

❶尿の量がふえ、色や匂いが強くなる

足もみによって動きだした毒素や老廃物の一部は、尿として排泄されます。腎臓機能が活性化すると、排泄量が多くなり、驚くほど尿の色が濃くなり、匂いが強くなることがあります。

❷便や鼻水など、排泄物の量が多くなる

大便はもちろん、鼻水や耳垢《みみあか》、痰《たん》、目やに、おりものなど、代謝機能の活性化により消化機能、婦人科系の機能も活性化し、全身から排泄物が発生します。それぞれが大量にでることがありますが、これも一時的なものです。通常は弱っている部分から大量に排泄物がでてくる傾向があります。

❸眠くなる・のどが渇く

どちらの症状も、血液の循環がよくなったために起こります。血液の循環がよくなると、代謝がよくなって体温が上がるため、のどが渇いてきます。疲れている時は強い眠気を引き起こすこともあります。充分な睡眠をとってください。

❹しびれがでる

血流や代謝機能がよくなり始めたにもかかわらず、身体の一部にしびれを感じることがあります。血流が滞っていた場所に起こりやすいようです。血液のめぐりが悪かった部分に血液が急激に流れこんだ結果、正座をほどいた時のしびれと同じような現象が起きているのです。この症状も、時間の経過とともに解消されます。

❺微熱がでる

免疫力が低下している人が足もみを行った際に、起こりやすい現象です。足もみによって血液中に流れだした老廃物が、免疫システムに異物としてみなされると発熱してしまうことがあるのです。解熱剤を飲む必要はありません。

❻かゆみ・湿疹がでる

排泄機能が弱っている人の場合、皮膚にかゆみや湿疹がでることがあります。毒素や老廃物は、皮膚からも排出されるためです。かゆみ止めなどは塗らずに、好転反応が治まるまで1週間ほど我慢してみましょう。

❼青あざができる（皮下血腫）

血流が悪く、毛細血管がもろくなっている人は、もんだ箇所の毛細血管が破損し、内出血による青あざができることがあります。しかし毛細血管には再生能力があり、老廃物をとりさってしまうと、今までよりも強い血管が再生されます。青あざも自然と消えていきますので、心配ありません。

これで効果が10倍高まる！
❶「冷え」をとりのぞく

足もみを、より効果的なものにするために、もっとも注意したいのは「冷え」です。**身体が冷えていると、どんなに丁寧に足をもみほぐしても、せっかくの優れた効果が得にくくなります。**これは理屈ではなく、あらゆるジャンルの「体質改善のプロ」が口をそろえて指摘しています。

慢性的な冷え症の方は、足もみを行う前に身体を温めておくと、効果を一気に高めることができます。入浴直後に行うのが、ベストのタイミングでしょう。

お風呂に入れない場合は、「足湯」が効果的です。バケツに42度程度のお湯を張り、両足を10分浸します。

〝日常の食事〟にも、冷えを除去するカギがあります。身体を温める効果がある食品を意識して食べることで、冷え症になりにくい身体を手に入れることができます。

身体を温める効果がある食品を下記の表にまとめましたので、ぜひ参考にしてください。

これで効果が10倍高まる！
❷「呼吸」を整える

「鼻式・逆腹式呼吸」のすすめ

「足健道」では「鼻式・逆腹式呼吸法」と呼ぶ呼吸法を推奨しています。これは、息を吸う時も吐く時も、すべて鼻で行うというもの。そして息を吸った時にお腹を引っこめます。

冷え症に効く食品

北方産の果物	りんご、さくらんぼ、ぶどう、プルーンなど
塩のもの	梅干し、たくあん、明太子など
根菜類	ごぼう、レンコン、にんじん、ヤマイモ、さつまいも、さといも、わさびなど
黒い食品	紅茶、海草、小豆、黒豆、ひじきなど
酒類	ブランデー、日本酒、赤ワイン、梅酒、芋焼酎（麦焼酎やビールは身体を冷やします）
葷菜類《くんさいるい》	ネギ、ニラ、にんにくなど

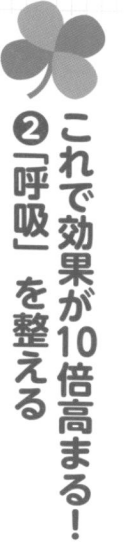

通常のヨガや気功法などで行っている「逆腹式呼吸法」は、息を吸う時は鼻から吸い、口から吐きますが、これを続けていると、やがて鼻腔内が乾燥してしまいます。でも「足健道」式ならば、肺の中で湿度を含んだ息を鼻からだすので、鼻腔内の湿度を一定に保ち、ウイルスを寄せつけないというメリットがあります。

また、「息を吸いこんだ時に、腹部を引っこめる」ことで、腹腔《ふくこう》が収縮・拡張し、腹腔の内分泌腺機能が整い、老化防止や抗酸化作用も高まります。

ひと仕事を終えた時、疲れを感じた時、眠る前など、この呼吸をするだけでも血流がよくなり、免疫力は上がり、超健康になります。足もみの前に3回行えば、効果が断然上がります。

鼻式・逆腹式呼吸の方法

❶鼻からゆっくり、大きく息を吸いこむ
❷息を大きく吸いこみながら、お腹を限界まで凹ませ、そのまま息を3秒止める
❸肩の力をぬき、お腹をふくらませながら、鼻から息をすべて吐き切る

あとは効果を信じて実践あるのみ！

「足なんかもんでも病気は治らない」なんて思いながらもんでいませんか？

そんなことを考えながらもんでも、**「それなりに効いてしまう」**のが、足もみのすごいところ。ですが、そういったネガティブな思考に囚われていると、せっかく効果がでても、「気のせいだ」の一言でかたづけてしまい、「ほら効果がないじゃないか」という結論を無理やりはじきだしてしまいがちです。

これは実にもったいないことです。

足をもんで人様の不調を改善することを生業《なりわい》としている人間はたくさんいますし、その効果が本物であるからこそ、多くの人が対価を支払って施術を受けているわけです。あなただけに効かないはずはありません。

どうか足もみの効果を信じて、「必ずよくなる！」と念じながらもみ続けてください。時間と労力を使った以上のすばらしい効果が、必ず得られますから。

Chapter 3

「疲れた、だるい、痛い……」を吹き飛ばす！

体調を改善する「足もみ」の極意

病気とまではいかないけれど、なんだか調子がすぐれない……。

こんな症状に悩む人が大勢います。

ここではChapter2で紹介した「基本のコース」に、わずか3～30秒プラスするだけで、こうした憂鬱な症状を吹き飛ばせるツボと反射区を紹介していきます。

01 肩コリ

首周りの筋肉をゆるめ、血流をよくするのがポイント

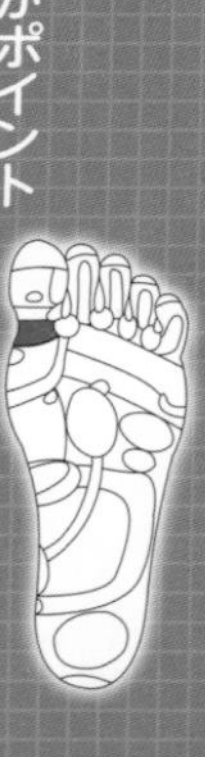

同じ姿勢で長い時間、座ったまま仕事を続けるデスクワークに従事している人は、血流の低下が起こりやすく、当たり前のように肩コリが発生します。

また、**緊張が続いたりイライラしたり、悩んだりしていれば、上半身の筋肉に力が無意識に入ってしまい、さらに肩コリを悪化させてしまいます。**血流の悪化のほか、「気」のめぐりが不調になることも原因の1つです。

肩コリで悩んでいる人は、**足の裏の中足骨《ちゅうそくこつ》部分（指の下）にタコや魚の目ができている人が多くいます。**自覚症状がなくても、この部分にタコや魚の目ができていたら、肩から首の血流が悪くなっているという合図です。

ここに注意!

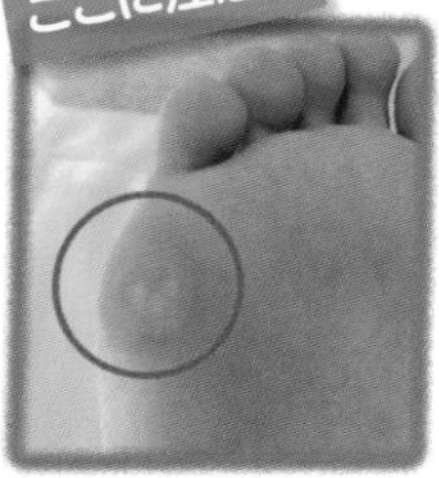

この場所にできるタコは、肩コリのほか、腕の疲労や頻尿なども考えられる。

頸椎《けいつい》の反射区

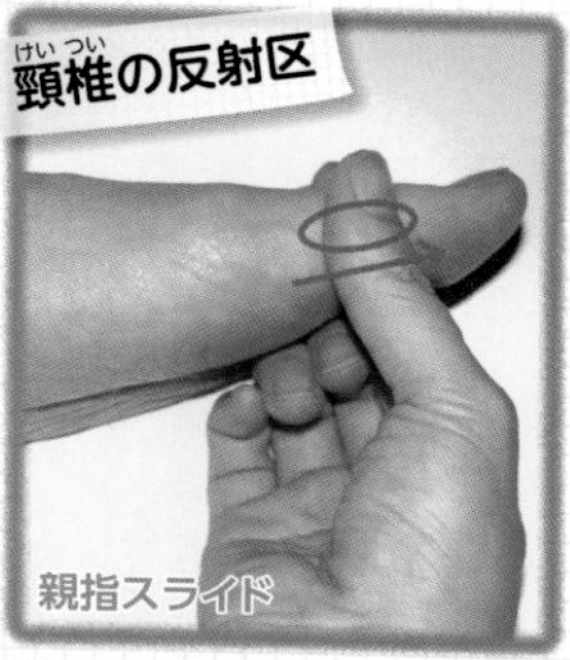

足の親指をはさみ、手の親指の腹で圧をかける。チューブのクリームをしぼりだすようにつま先の方向へすべらせる。

首の反射区

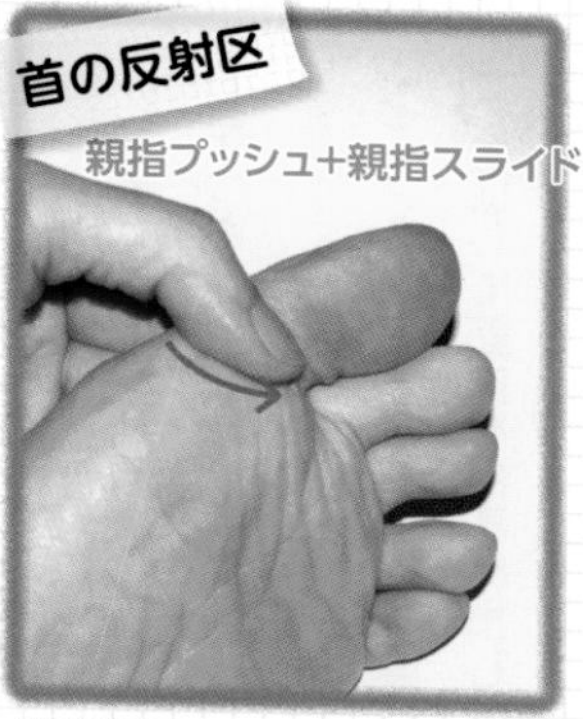

親指側面にイタ気持ちいい圧をかける。そのままの圧をかけながら親指の裏まですべらせる。

ツボ28・京骨《けいこつ》

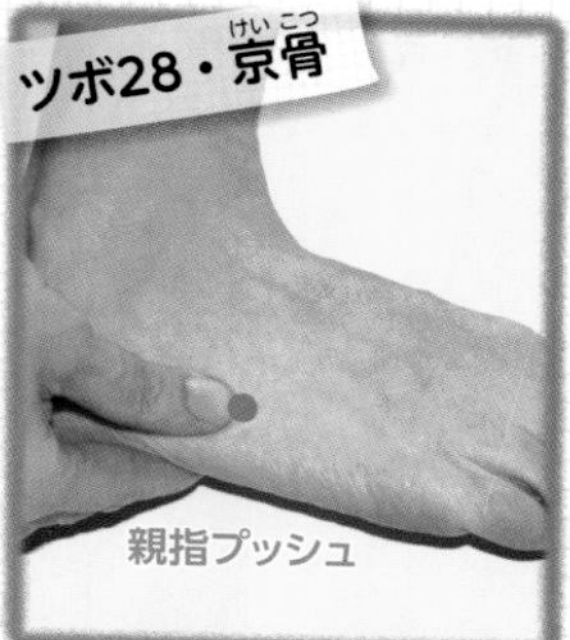

首痛に効くツボ。親指の腹でイタ気持ちいい程度に、3秒間の安定圧をかける。

胸椎《きょうつい》の反射区

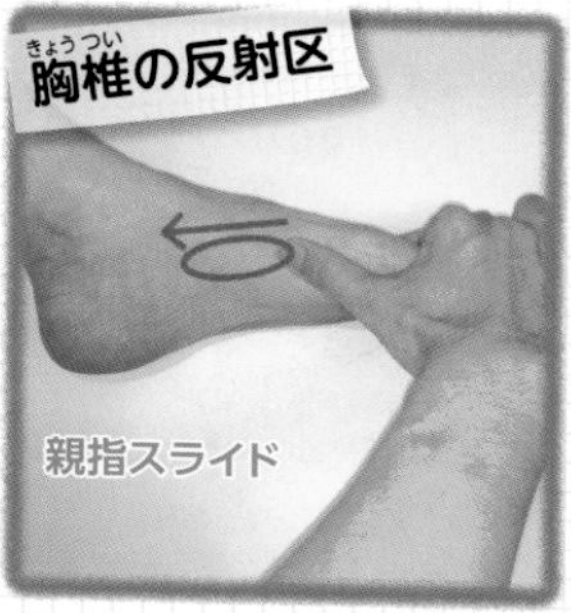

足の内側の側面を親指をすべらせながら刺激する。親指を握りしめながら行うと刺激しやすい。

02 五十肩

肩関節の周りの筋肉をゆるめ痛みをやわらげる

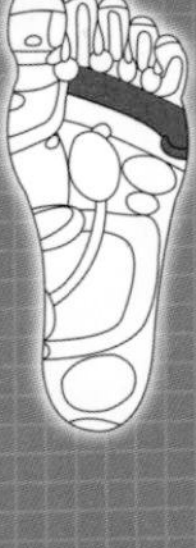

五十肩の痛みは、若い人にはなかなか想像できないでしょう。40代に発症すれば四十肩とも呼ばれ、ある日突然、腕が上がらなくなり痛みが発生します。症状が進行すると、少し動かすだけでするどい激痛が走りますし、就寝中も寝返りのたびに痛んで、寝不足に悩まされる方も多くいます。

原因は、肩や腕に蓄積した疲れを放置してしまった老化現象です。肩の関節に老廃物がたまったうえにオイル切れのような状態になっているのです。**まずは、肩関節の周りの血流を促して筋肉をゆるめましょう。**これだけで痛みは治まっていきラクになっていきます。

腋窩《えきか》リンパ腺《せん》の反射区

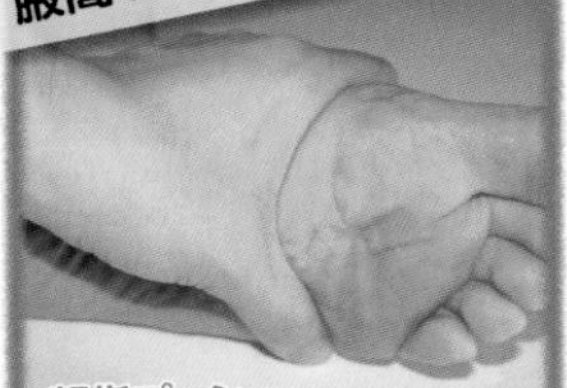

足の小指のつけ根の骨際に食いこませるように3秒間の安定圧をかける。

肩の反射区

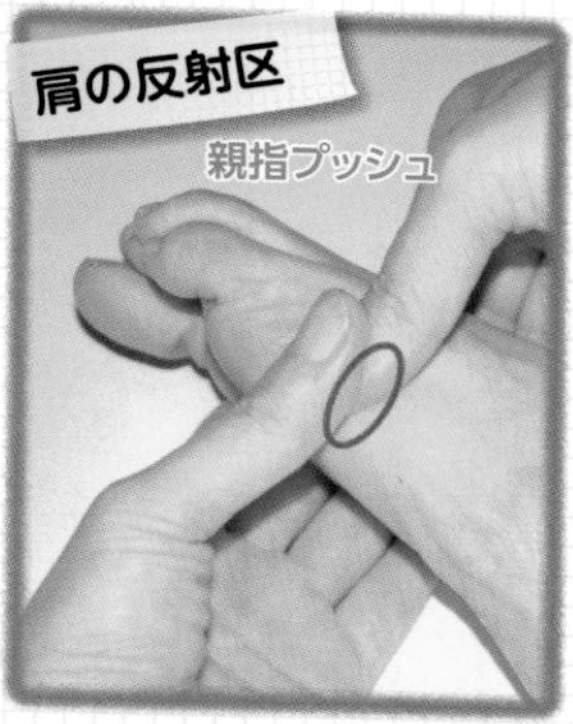

足の小指のつけ根、足の側面にある反射区。両手の親指を重ね合わせ、強い安定圧を3秒かける。

僧帽筋《そうぼうきん》の反射区

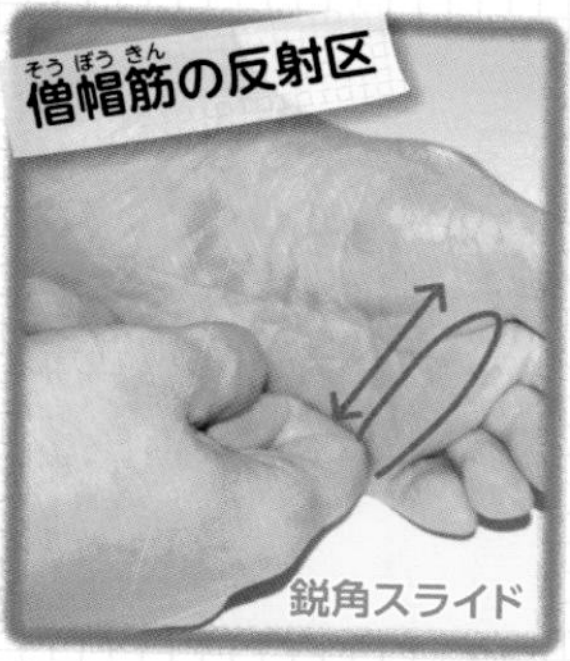

足裏の人差し指から小指にかけて、指の根元にある帯状の反射区が僧帽筋の反射区。手指の鋭角をすべらせながら刺激する。

上腕の反射区

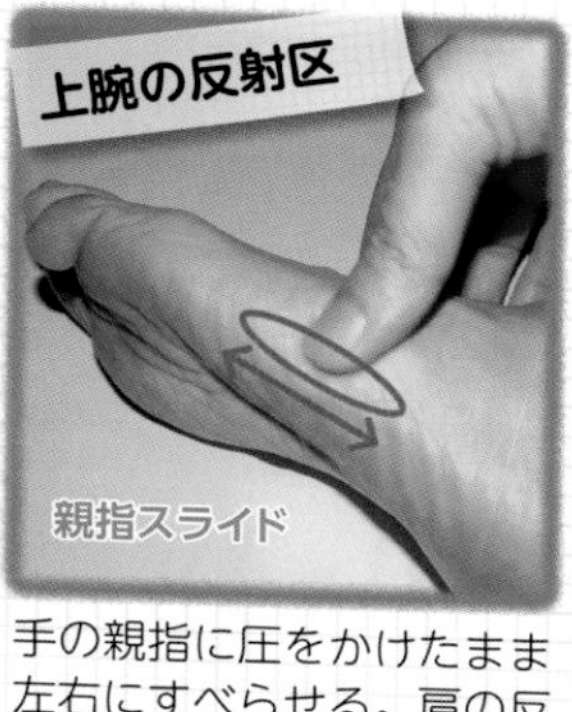

手の親指に圧をかけたまま左右にすべらせる。肩の反射区のすぐ隣にあるので一緒に刺激してもいい。

肩甲骨《けんこうこつ》の反射区

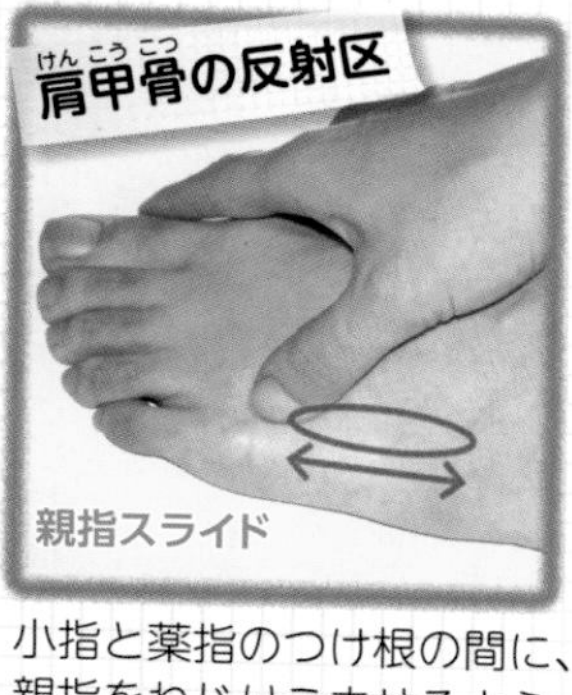

小指と薬指のつけ根の間に、親指をねじりこませるように圧をかけ、前後に指をすべらせながら刺激する。

03 腰痛

肩コリと並ぶ、日本人の国民病もゆるめればOK

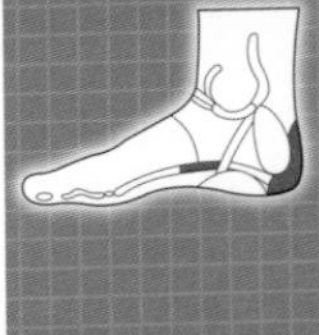

多くの現代人が悩まされている腰痛は、症状の個人差が非常に大きいのが特徴です。現代医学では、80％以上もの腰痛の原因がまだ完全に解明されていません。医師が明確に腰痛の原因を特定できるのは、椎間板ヘルニア（約5％）、画像で診断できる圧迫骨折（約9％）、腫瘍などの内臓疾患（1％未満）といわれます。

私は、腰痛は身体のバランスが少し乱れただけで発生すると考えています。日常生活でしみついた悪い姿勢は、人によって千差万別ですが、そのどれもが筋肉の偏《かたよ》りと硬直の原因になり、それが神経を刺激して腰痛が発生してしまうのです。

医師が原因を特定できない腰痛は、全身の血流をよくし、筋肉をゆるめることでほぼ治ります。ストレスも関係していますので、痛みがでたら無理をせず、休むことも大切です。

尾骨《びこつ》の反射区

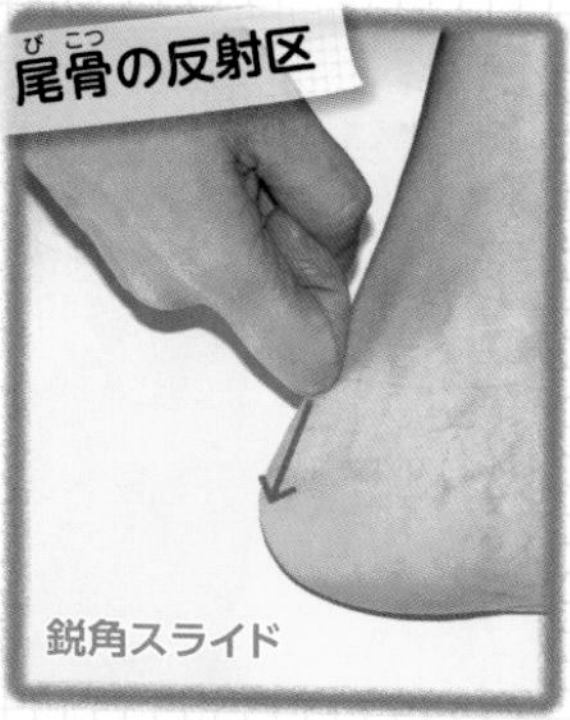

アキレス腱からかかとに向かって、圧をかけながらすべらせる。

腰椎《ようつい》の反射区

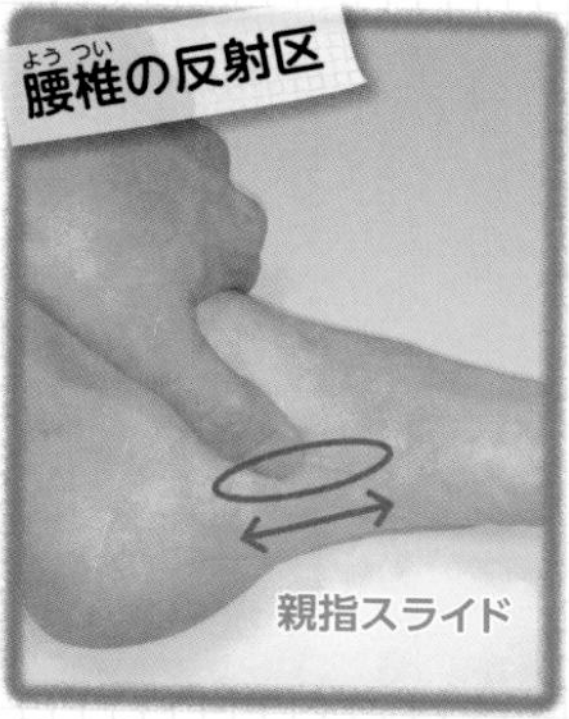

骨の際に圧をかけて、そのままの圧を維持してすべらせる。

ツボ36・委中《いちゅう》

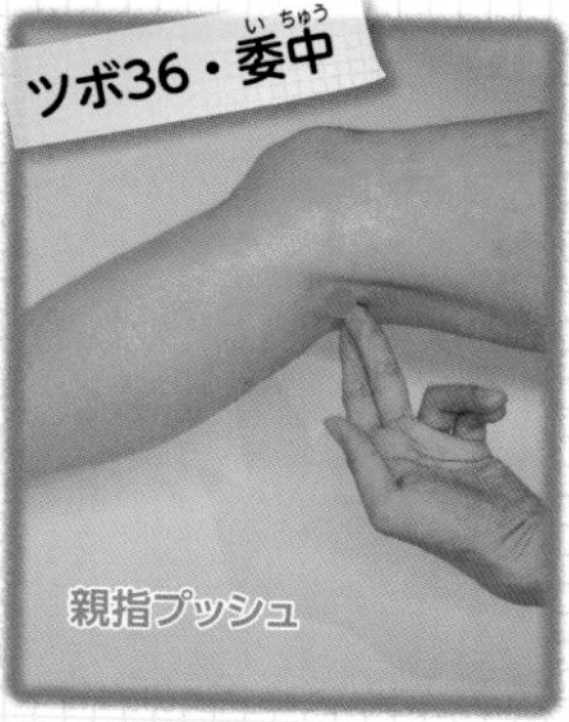

ひざ裏の真ん中に、3秒間の安定圧をかける。

ツボ24・丘墟《きゅうきょ》

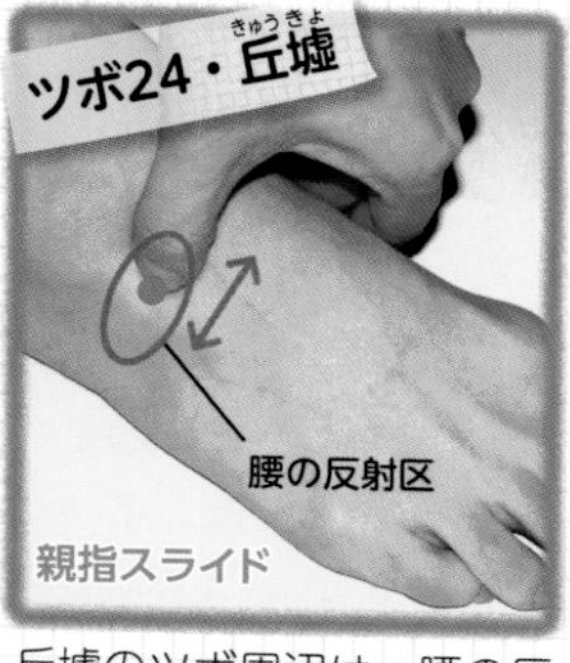

丘墟のツボ周辺は、腰の反射区でもある。親指で圧をかけながら、ツボと反射区をまんべんなく刺激する。

04 便秘
翌日スッキリ！　白湯を多めに飲めばさらに効果アップ

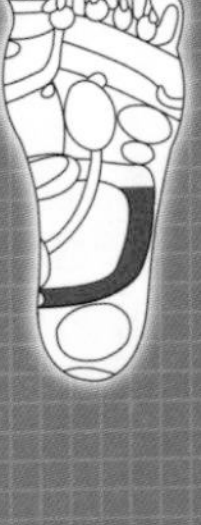

腰痛と同じく、便秘も個人差がとても大きい症状です。

可能な限りストレスを発散し、食生活を改善し、適度な運動を行えば、ほとんどの便秘は改善できますが、あわただしい現代社会では、規則正しい生活を送れる人はほとんどいないでしょう。

東洋医学では、身体の各臓器には「活動が活性化する時間帯」があると考えています。**大腸の活性期は午前5～7時ですので、この時間までに起床し、充分に水分をとるようにしましょう。**さらに、次ページの反射区とツボを念入りにもんでください。なお、2～3日の間隔が空いても、定期的に排便できていれば、便秘ではありません。気に病んだ末、本格的な便秘になってしまうこともあるので注意しましょう。

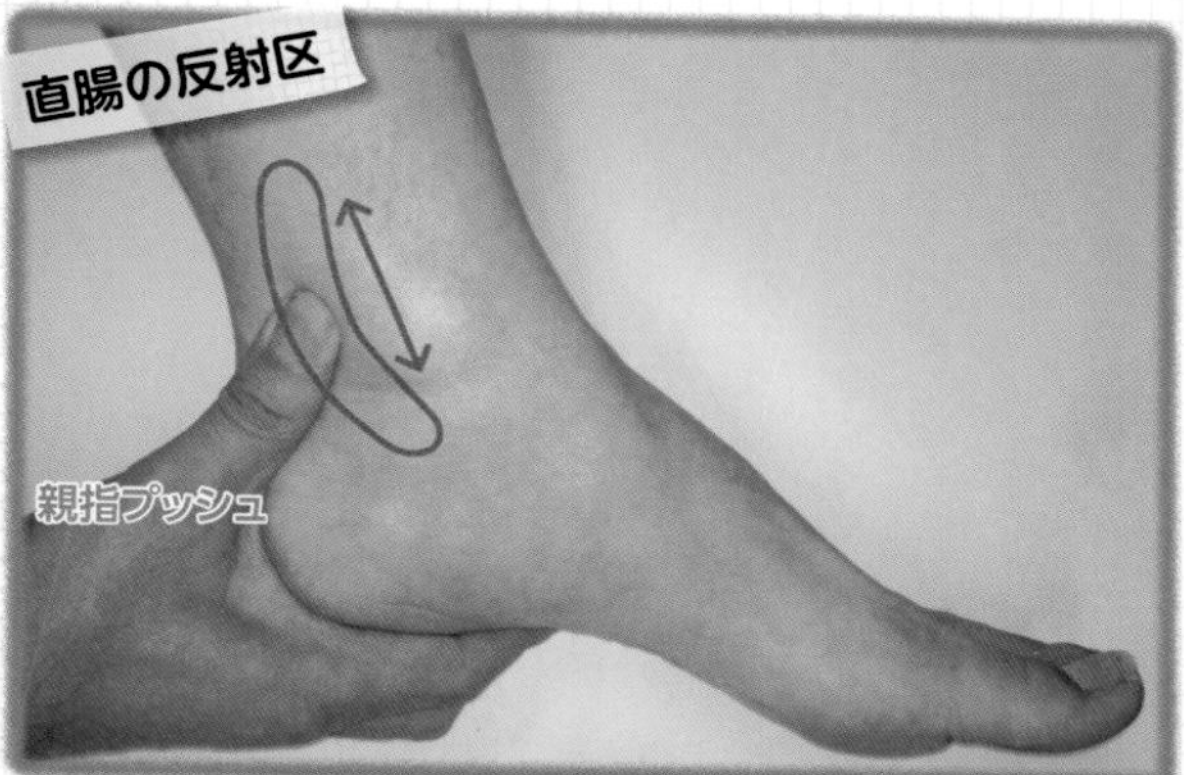

内側のくるぶしのすぐそばにある直腸の反射区。骨の際に親指を食いこませるようにして上下にもみこむ。

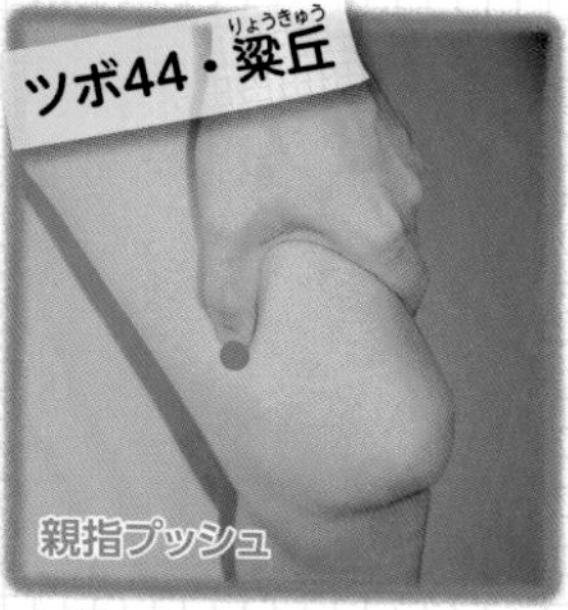

ひざのお皿の外側から、指3本分ほど上がった場所にあるツボ。胃腸に効く。3秒間の安定圧をかける。

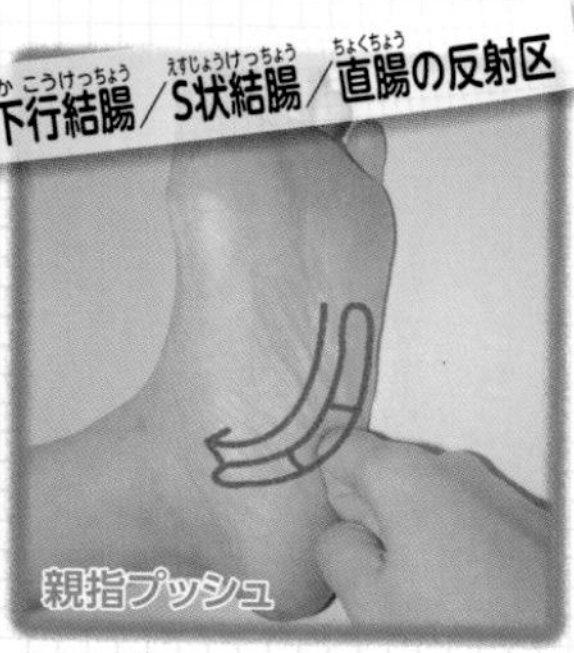

左足だけにある反射区。鋭角ですべらせる。特に下行結腸を入念にしごくと効果が上がる。

05 下痢

足もみで一時的な応急処置をしたら、すぐに病院へ

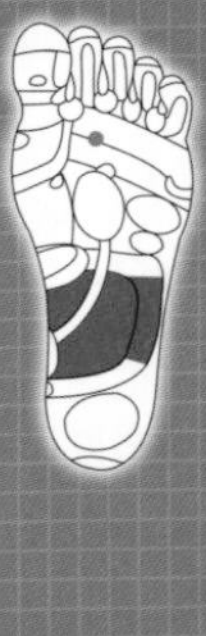

衛生的な食事をしているにもかかわらず、なぜかお腹を下してしまう人がいます。暴飲暴食のほか、アルコールやトウガラシなども、体調次第では下痢の原因となります。しかし、下痢とは本来、身体が必要としていないものを体外へだそうとしている自然現象です。ですから、できるだけ止めずに便意にしたがって、すべてだしきってしまいましょう。ただし脱水症状には注意。あまりにひどい場合は、**次ページのツボと反射区をもんで、一時的に止めましょう。**

なお、腐敗した食物を食べたことによる食あたりや食中毒の場合、一時的に下痢を止めることは可能ですが、根治療法《こんじりょうほう》ではないため、必ず下痢が再発します。**食あたりや食中毒の疑いが強い場合は、下痢が止まっているうちに病院で診療を受けましょう。**

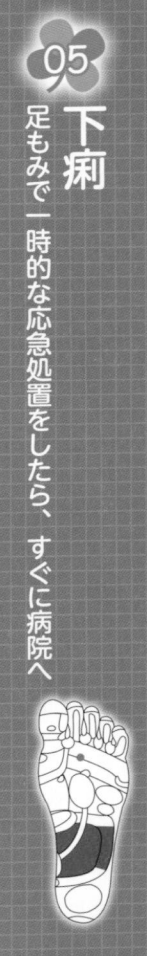

回《かい》もう弁《べん》の反射区

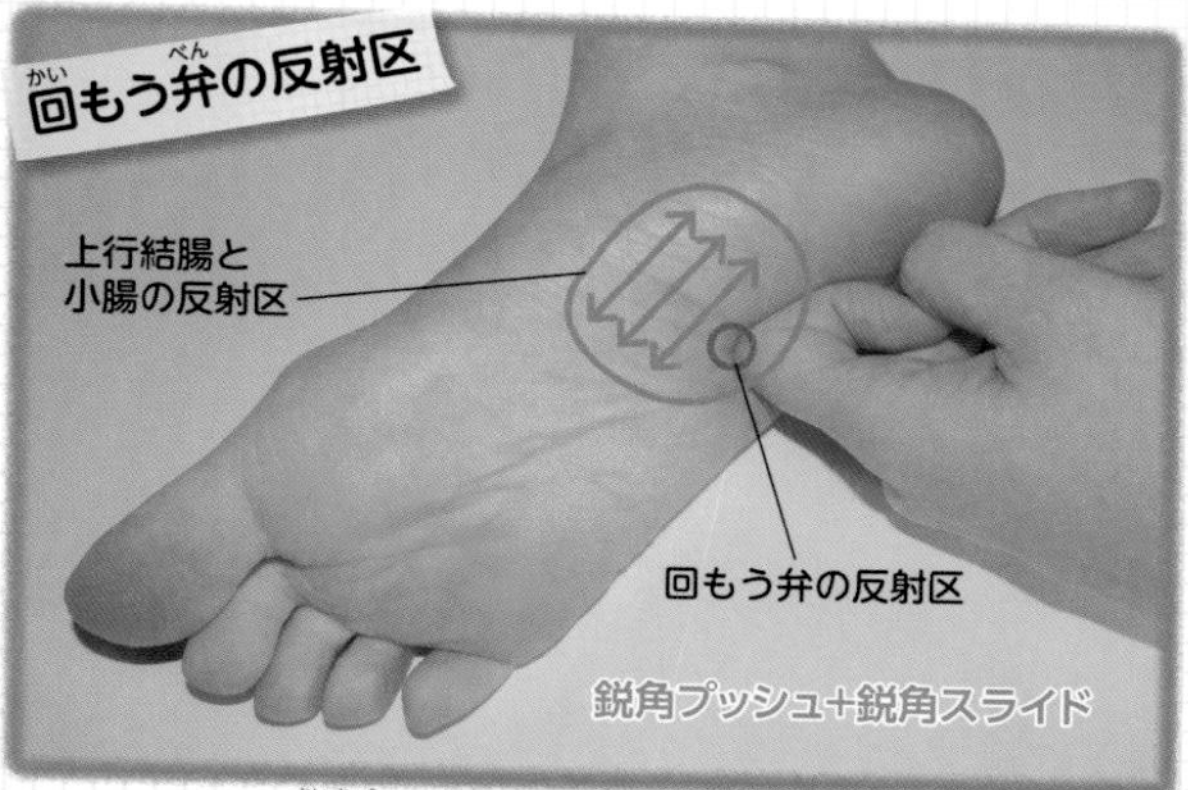

回もう弁とは回腸《かいちょう》と盲腸のさかいにある弁のこと。右足にだけ反射区がある。３秒間の安低圧を入れ、そのままの強さで周囲の反射区（上行結腸と小腸）を上下にしごく。

ツボ8・公孫《こうそん》

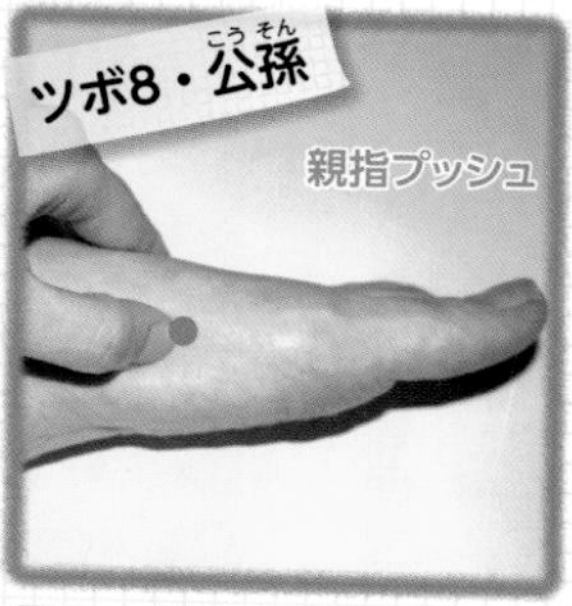

足の内側の中央付近にある。これも食中毒によく効くツボ。3秒間の安定圧をかける。

ツボ1・裏内庭《うらないてい》

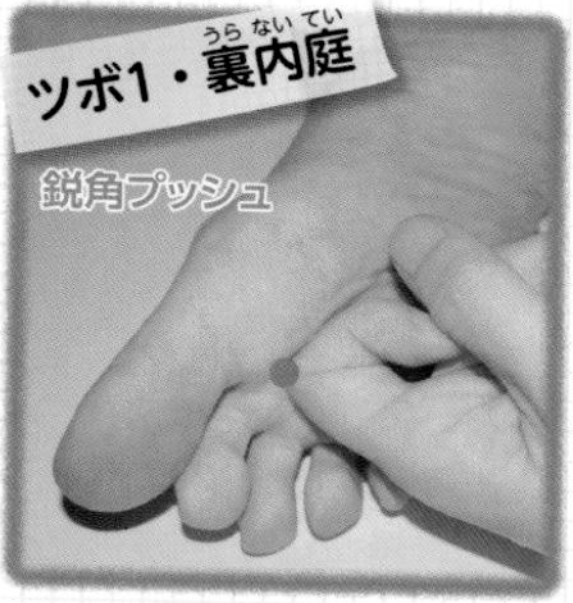

足の人差し指のつけ根付近にある、吐き下しを止める効果があるツボ。3秒間の安定圧をかける。

06 めまい
思いこみから「クセ」になることもある

めまいの症状には大きく分けて3種類あります。1つ目は、周囲や天井がグルグル回り、立っていられなくなる症状。2つ目は時々ふらつく程度の症状。3つ目は、立ち上がる時だけクラッとする、いわゆる「立ちくらみ」です。貧血や低血圧、ストレスが原因として考えられますが、頻繁《ひんぱん》に起こる場合はメニエール病などに罹患《りかん》している可能性もあるので、医療機関で原因を特定してください。

めまい自体は、内耳《ないじ》のバランス、平衡感覚、目の疲れ、ホルモンバランスを整えることで発症の回数が激減します。**メニエール病などが原因でなければ、ほとんどのめまいは、足もみで症状をほぼゼロに改善できるのです。**

なお、めまいは本人の思いこみから「クセ」になることがあります。慢性的に症状がある方は、「めまいは起こらない」と強く思いこむことも改善につながります。

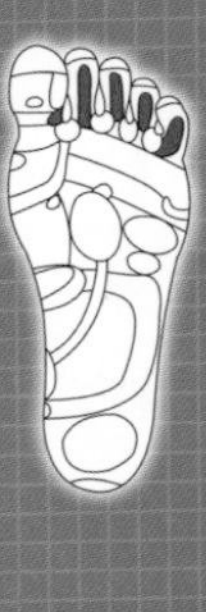

目／耳の反射区

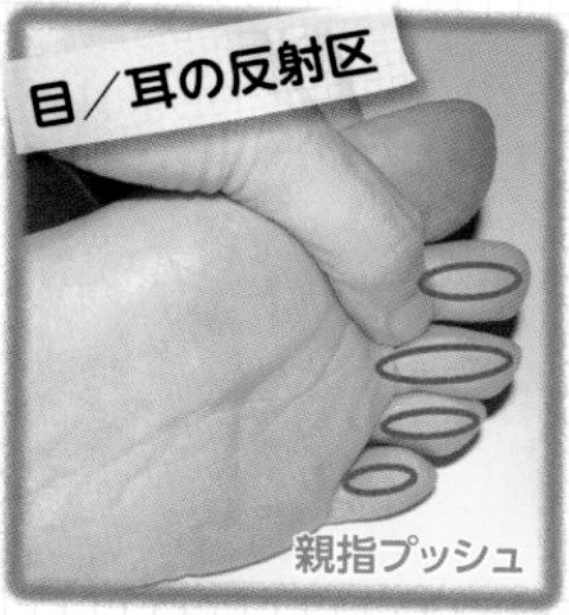

親指以外の指に安定圧をかける。スライドさせずに、ギュッ、ギュッ、ギュッと反射区全体を親指プッシュで刺激する。

小脳の反射区

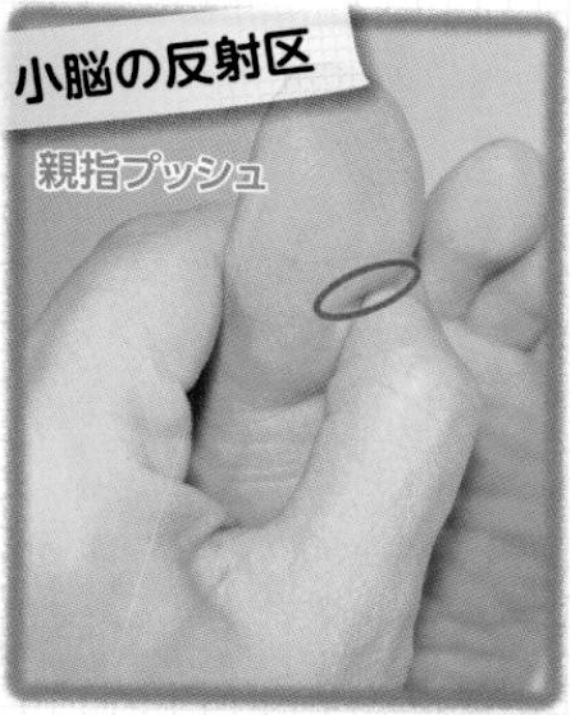

手の親指と人差し指ではさみこんで、親指側に足指を3秒間の安定圧をかける。

ツボ21・侠谿《きょうけい》

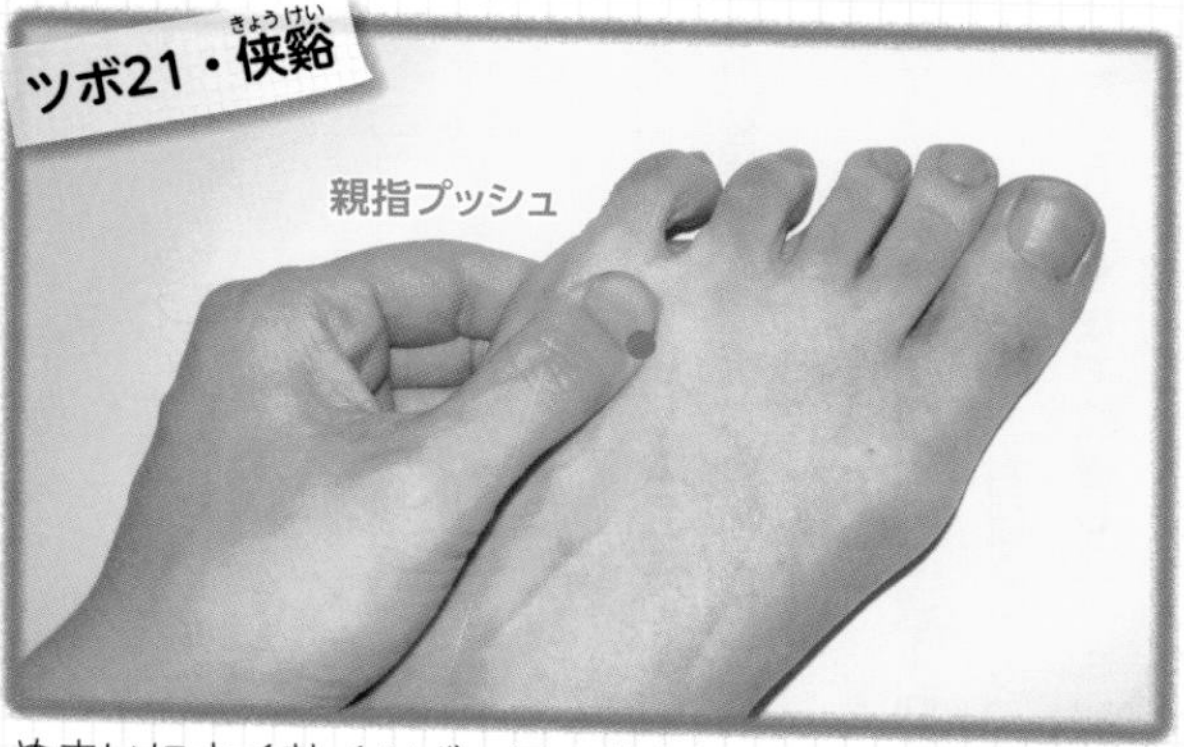

めまいによく効くツボ。足の薬指側に向かって圧をかけ、骨と骨の間に親指を埋めこむようにして3秒間の安定圧をかける。

07 目のかすみ・視力低下

0・3から1・0まで視力回復した例も！

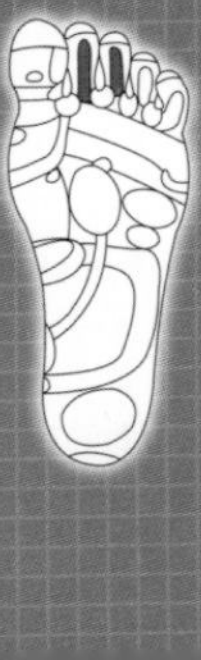

コンタクトレンズの長時間の使用や、パソコンやスマートフォンなどのディスプレイを長時間凝視していると、自覚症状がないままに、確実に目に疲労がたまっていきます。このため、目のかすみや疲れ、ドライアイを訴えるビジネスパーソンが年々ふえています。目のかすみや視力低下の自覚症状がでてきたらかなりの重症ですが、足もみを継続することで、目への負担を軽減し、視力を回復させることまで期待できます。

なお、子供の場合は特に即効性があります。私が小学生の子供に週1回30分の施術を行い、母親が自宅で毎日10分の足もみを行ったところ、**右目0・6、左目0・3だった視力が、1カ月半で右目1・0、左目0・9まで改善した、**という実例があります。もちろん、大人でも、視力が回復した事例がたくさんあります。

目の反射区

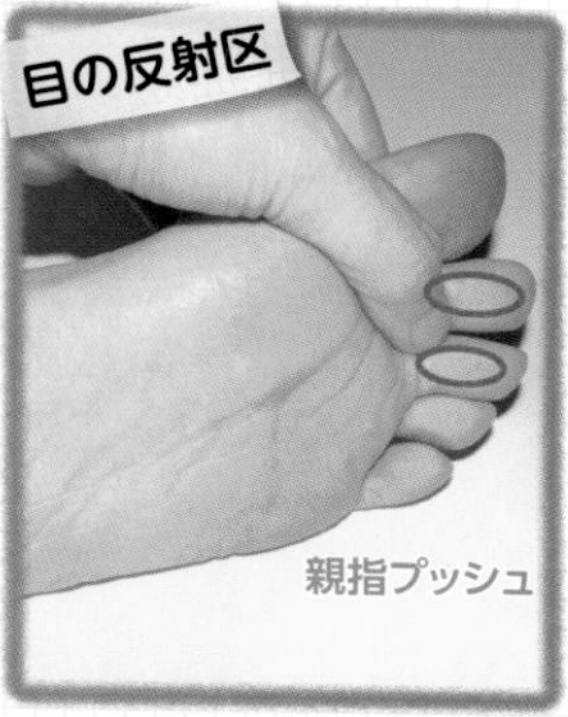

足の人差し指と中指の腹側全体に3秒間の安定圧をかける。縦長の反射区なので2〜3回に分けてかける。

三半規管《さんはんきかん》の反射区

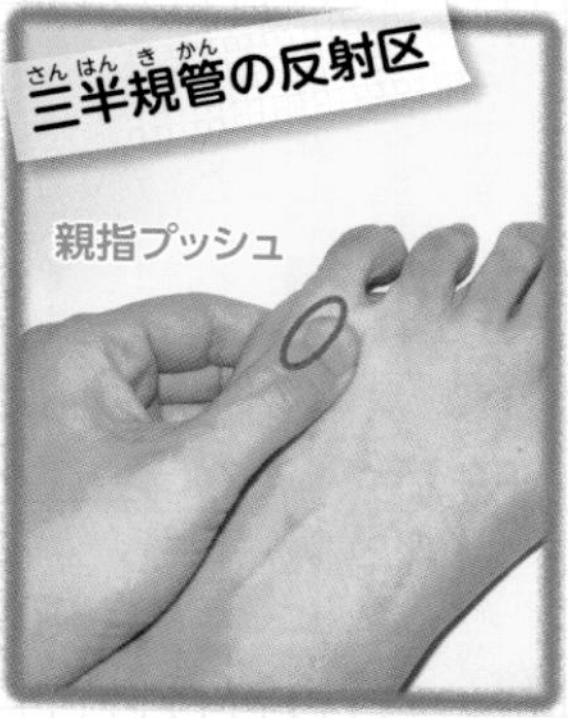

三半規管とは平衡感覚を保つ器官。小指の根元をつまみ、3秒間の安定圧をかける。

ツボ23・臨泣《りんきゅう》

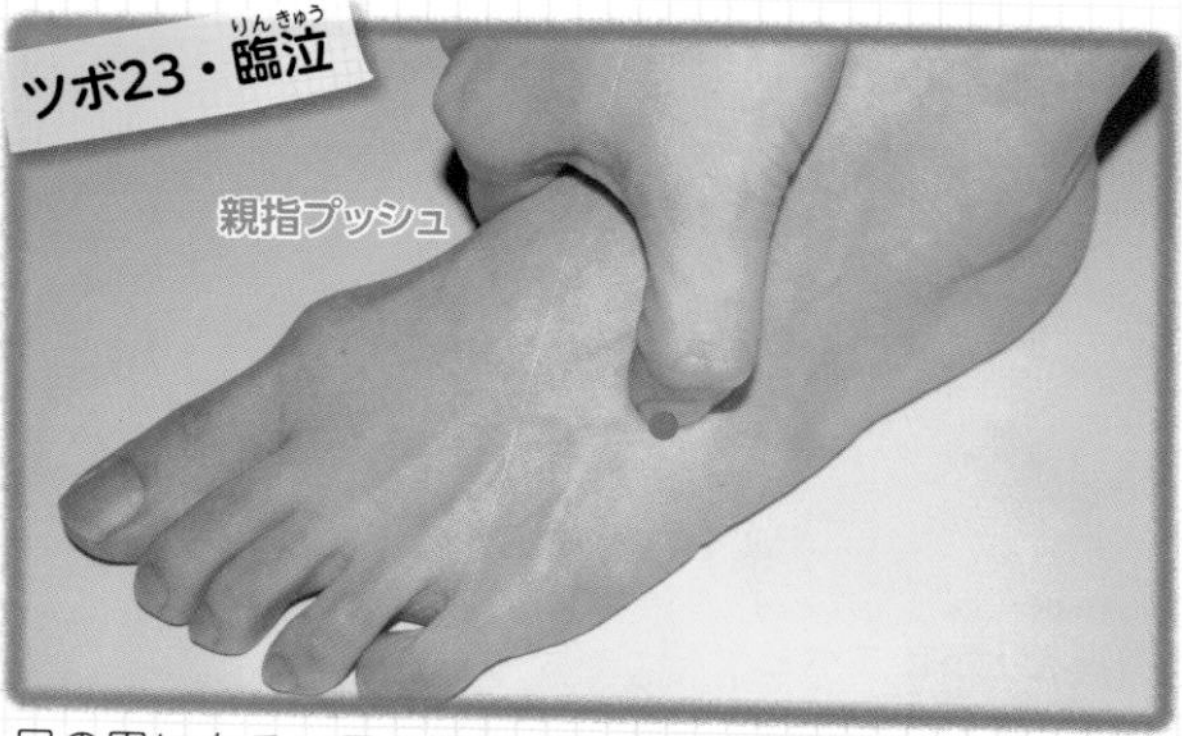

足の甲にある、目の不調の改善に効果があるツボ。親指を骨の間に埋めこむようにして3秒間の安定圧をかける。

08 緑内障

眼圧を下げ、進行をくいとめる

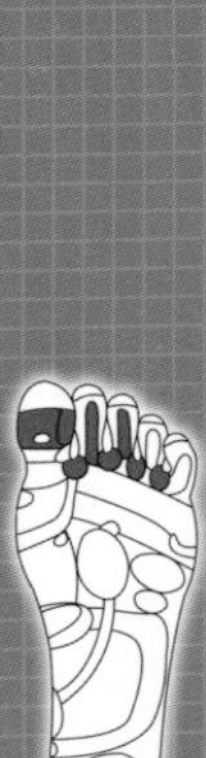

緑内障《りょくないしょう》は放置しておくとどんどん進行し、失明するおそれがありますので、医療機関での治療が必要です。最近では、眼圧《がんあつ》が正常にもかかわらず発症しているケースもあります。過去に、足をもむと必ず目が痛くなるという方がいました。

病院での検査をおすすめしたところ、眼圧が高くなっており、緑内障と診断されました。しかし、その後も足もみを毎日続けたところ、**眼圧が少しずつ下がり始めて安定し、緑内障の進行が止まり、現在は目薬を点眼しなくても眼圧が安定しているそうです。**この事例は、緑内障患者にとって大きな希望となるのではないでしょうか。

三叉《さんさ》神経《しんけい》の反射区

手の指を上下にすべらせしごくように刺激。ピリピリする痛みがあれば効いている証拠。

大脳の反射区

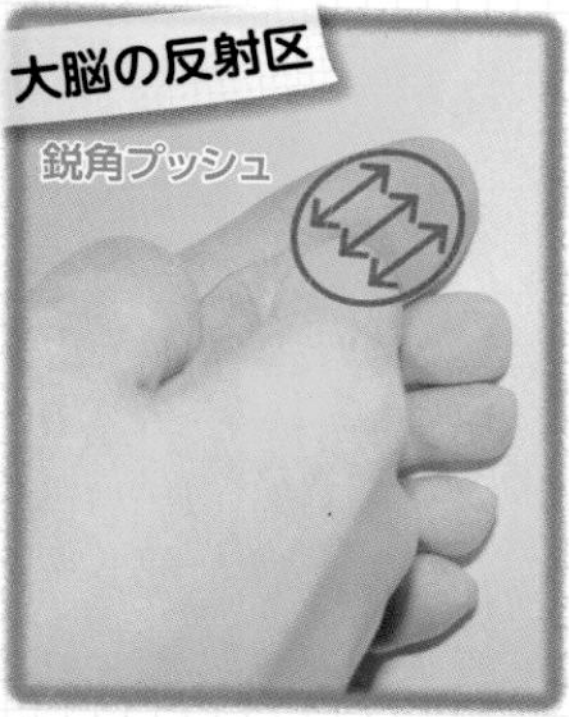

親指全体を鋭角でしごき、痛いところやブチブチした老廃物を探して、3秒間の安定圧をかける。

目の反射区

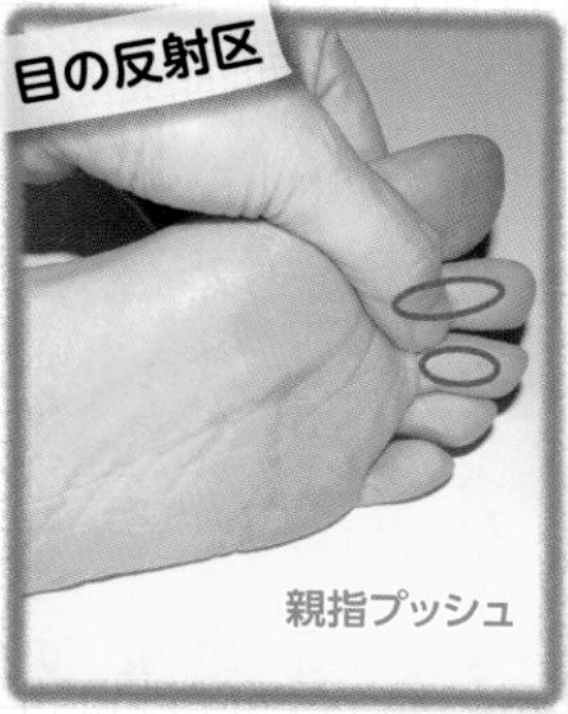

人差し指と中指の腹側全体に3秒間の安定圧をかける。縦長の反射区なので2、3回に分けて圧をかける。

ツボ23・臨泣《りんきゅう》

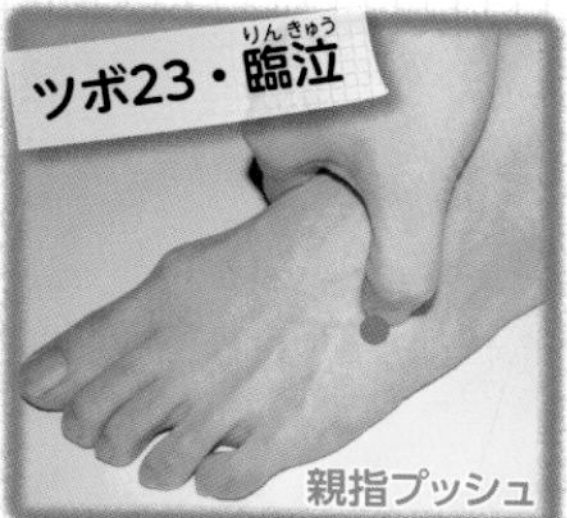

目の不調の改善に効果があるツボ。親指を埋めこむようにして3秒間の安定圧をかける。

上部リンパ腺《せん》の反射区

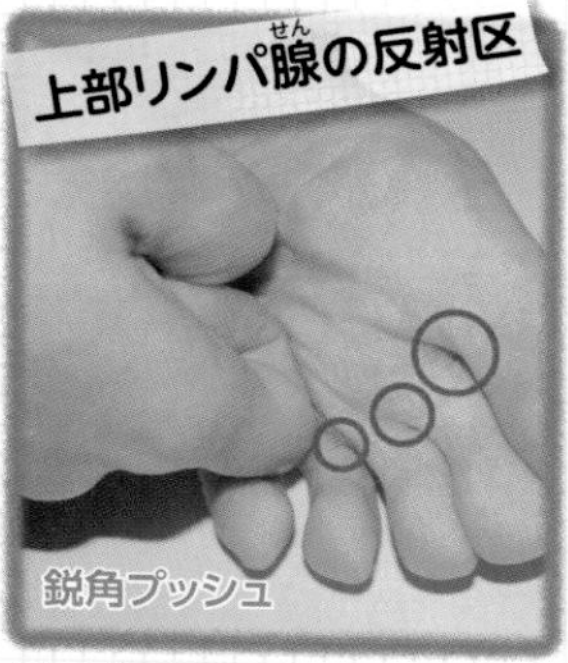

足の指のつけ根に向かって3秒間の安定圧をかける。

09 蓄膿症
足もみでの完治例は多数あり！

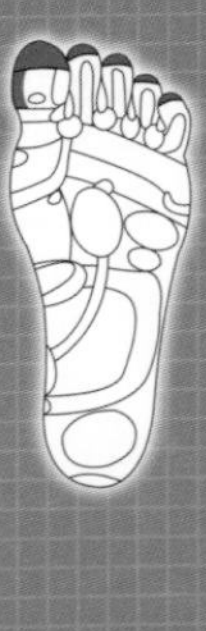

蓄膿症《ちくのうしょう》とは、身体の中にある隙間《すきま》に膿《うみ》がたまってしまう病気です。人間の体内には、いろいろな場所に「体腔《たいくう》」と呼ばれる隙間があり、そこに膿がたまってしまうのです。もっとも一般的なのは、鼻周辺に膿がたまる「副鼻腔炎《ふくびくうえん》」でしょう。

実は私も、小学校5年生の時に副鼻腔炎と診断されました。この時、私は手術するのが怖くて、一人で病院に行ったことを幸いに、家族には黙っていました！　それ以来、足もみを始めるまで、ずっと副鼻腔炎に悩まされていたのです。

次ページで紹介する蓄膿症に効く**足もみを継続して行うと、大量の鼻水がでてきます。**私の場合は1カ月以上も鼻水が止まりませんでしたが、**最後に、オレンジ色のドロリとした鼻水がでてきたのをきっかけにピタリと止まり、それ以来、鼻でラクに息をすることができるようになったのです。**今はとても快適です。

副鼻腔の反射区

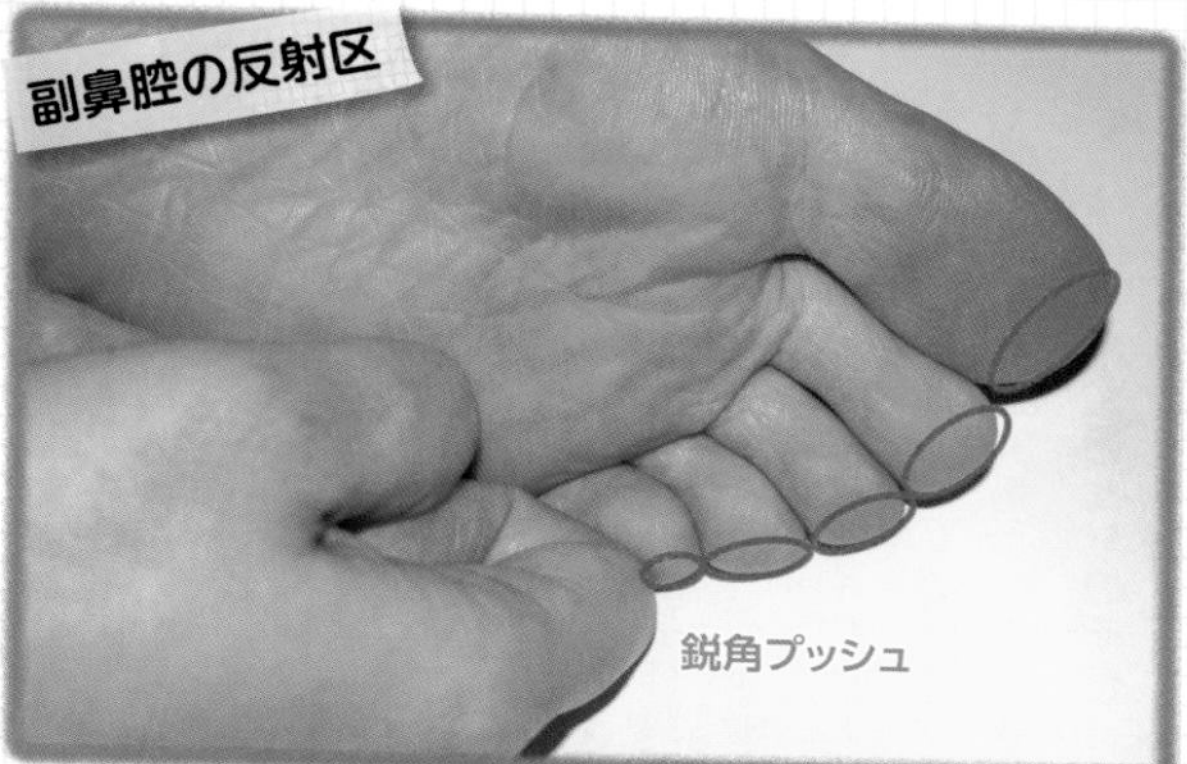

5本の足指の先端にあるしこりを、すべてゴリゴリとつぶしながら、しっかりとほぐす。

ツボ39・崑崙《こんろん》

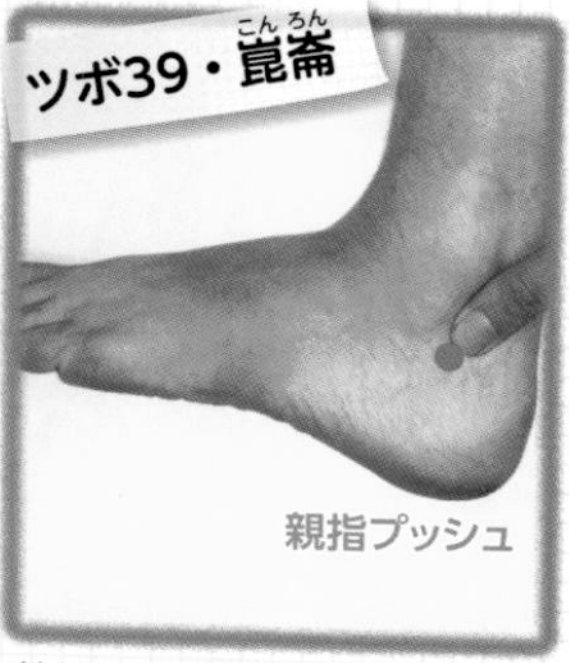

蓄膿症に効くツボ。外くるぶしのアキレス腱側の際に触ると凹みがある。この凹みに3秒間の安定圧をかける。

鼻の反射区

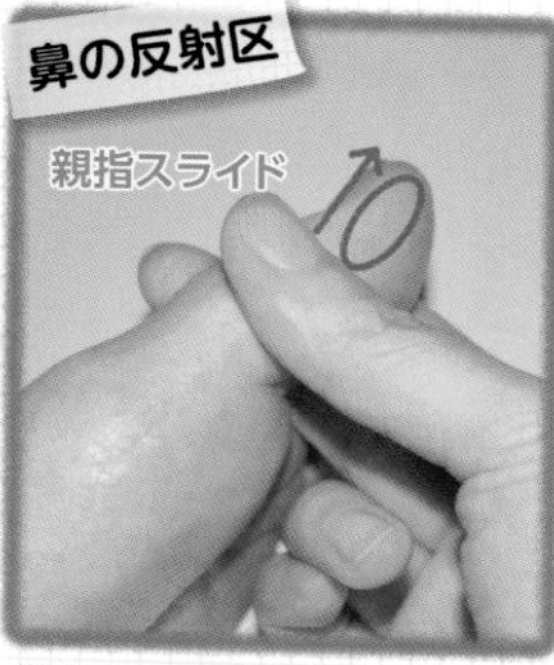

親指の側面外側を刺激する。指先に向かって圧をかけながら、チューブをしぼるようにすべらせていく。

10 虚弱体質

「体温を上げる」がカギ

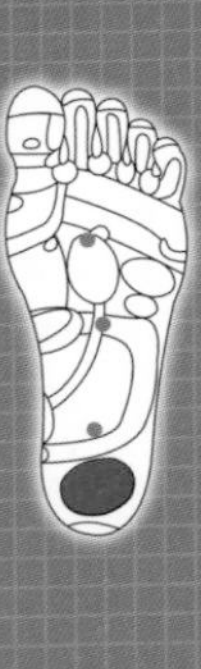

虚弱体質とは、どのような症状をいうのでしょう？　一般的に、身体の弱い子供などは虚弱体質と呼ばれることが多く、大人になってもその体質を引きずり、体調を崩しやすかったり、病気にかかりやすいという人が多いようです。

私も、子供のころは虚弱体質でした。持病だった副鼻腔炎が原因で常に口で呼吸していたため、すぐにのどが傷み、寝ていてもぐっすり眠れず、いつも疲れを感じていたものです。細菌やウイルスにも弱く、風邪も引きやすかったので、相当、免疫力が低下していたのだと思います。

虚弱体質を改善するためには、足もみの基本ともいえる「冷えの除去」から始めましょう。**冷えをとりのぞき、よく眠れるようにして疲れをとり、体温を上昇させれば、代謝機能や免疫力がアップします。**あとは自然と、体調が整っていきます。

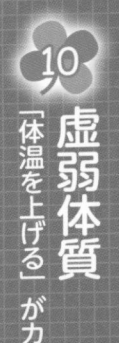

ツボ2・湧泉《ゆうせん》／3・足心《そくしん》

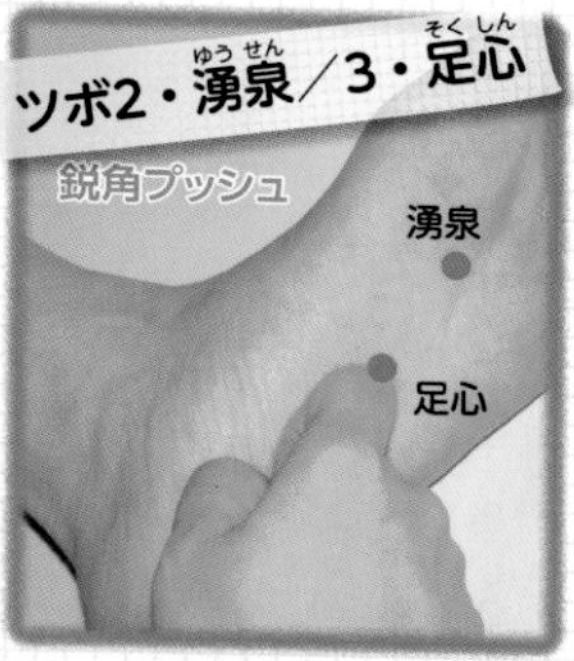

甲に向かって足裏に穴をあけるような気持ちでまっすぐに押し、痛みを感じたところで3秒間の安定圧をかける。

生殖腺《せいしょくせん》の反射区

点で面を埋めつくすように、3秒間の安定圧を反射区全体に細かく入れる。これで冷えがとれる。

ツボ4・失眠《しつみん》

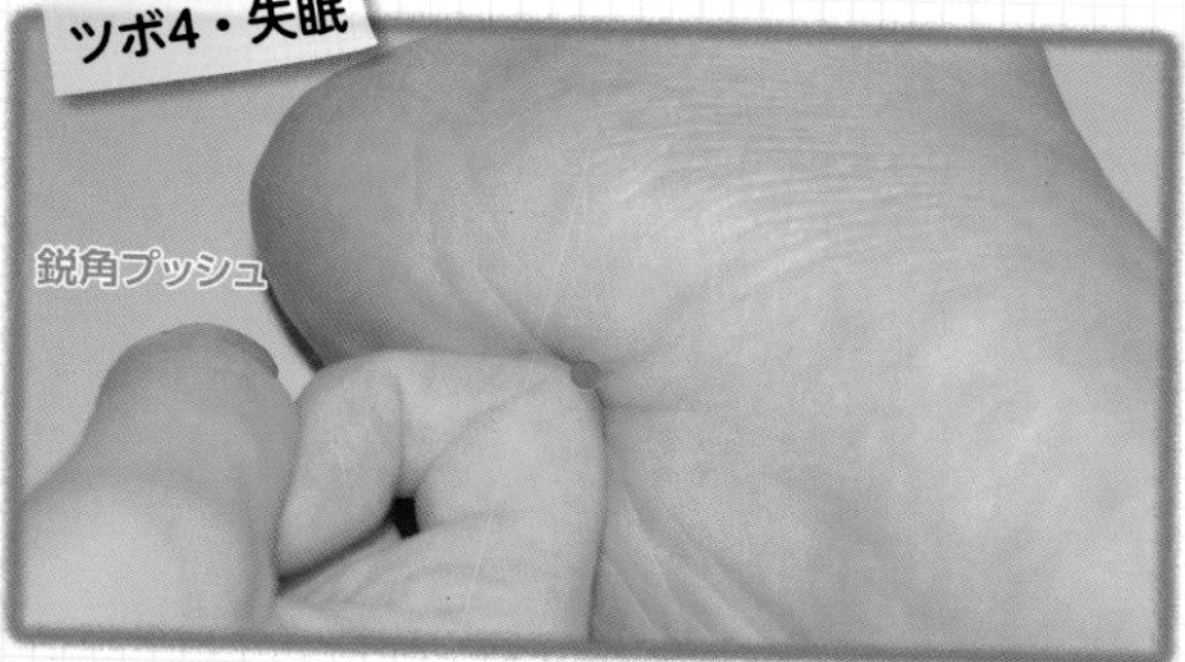

両足のかかとにある、眠りの質をよくするツボ。アキレス腱に向けて突きぬけるように深く押圧し、痛みを感じたらそのまま3秒間の安定圧を入れる。

11 ひざ痛
痛みの緩和に即効果!

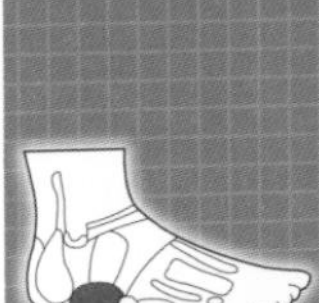

加齢とともに、ひざの痛みを訴える人がふえていきます。上半身の重みを絶《た》えず吸収しているので、長い年月を経るうちに、ひざの関節がギシギシと疲労していくのが想像できると思います。最初はひざに違和感を覚える程度だったのが、いつの間にか正座ができなくなり、階段の昇降も苦痛になっていくのです。

ひざ痛のもっとも大きな原因は、軟骨《なんこつ》の摩耗《まもう》です。ほかにも筋力の低下、痛み物質（老廃物・カルシウム）の停滞、血流の低下などいろいろな原因があります。手術などの外科的な処置は最後の手段として、まずは足もみで改善を試みましょう。

現代医学では、すり減った軟骨を元に戻すことはできませんが、血流を促して老廃物を排泄すれば、痛みはすぐにやわらぎます。かなりの即効性が見こめます。

ツボ34・陰陵泉《いんりょうせん》

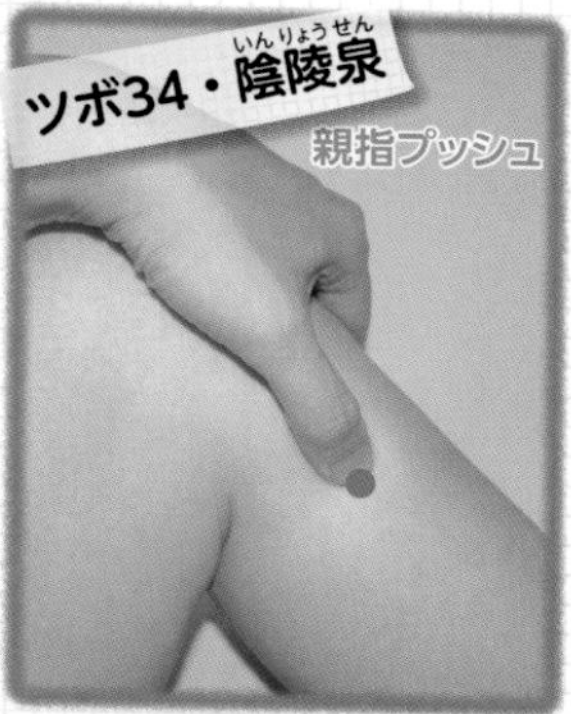

ひざの内側にあるツボ。脛《けい》骨《こつ》の際に親指を食いこませるようにして3秒間の安定圧をかける。

ひざの反射区

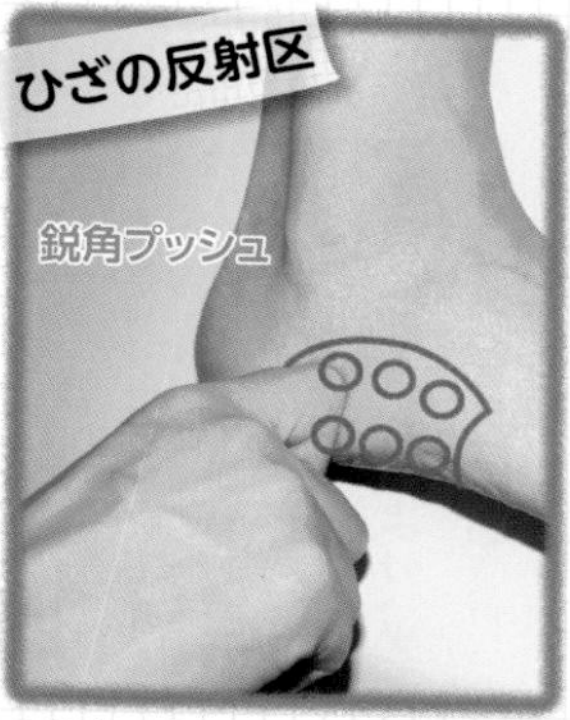

反射区全面に、3秒間の安定圧を隙間なく入れていく。

ツボ41・陽輔《ようほ》

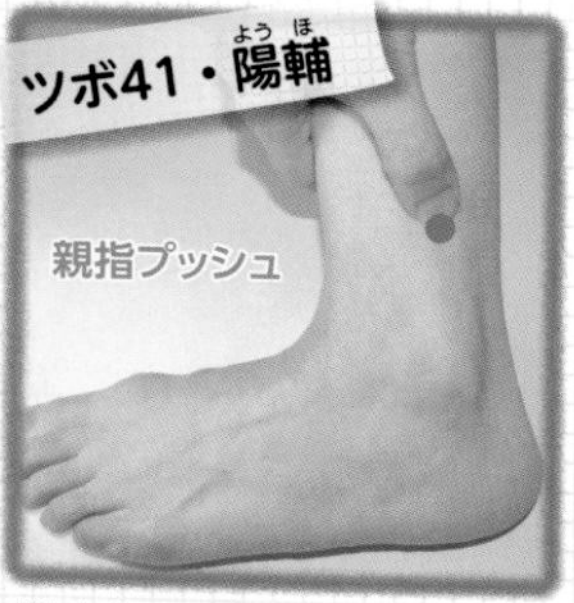

腰痛とひざ痛に効果がある。外くるぶしから指4本分上に上がったところに3秒間の安定圧をかける。

ツボ35・曲泉《きょくせん》

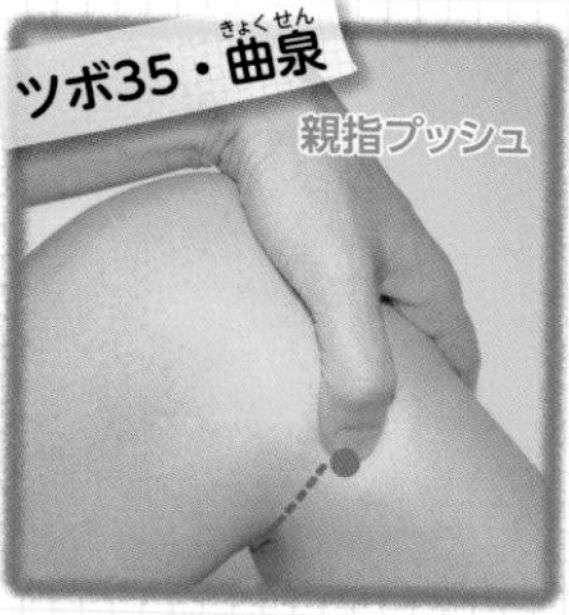

ひざの内側にある、痛みに効くツボ。ひざを深く曲げた時にできるシワの先端に、３秒間の安定圧をかける。

12 坐骨神経痛
自分で履けなかった靴下が履けるようになった!

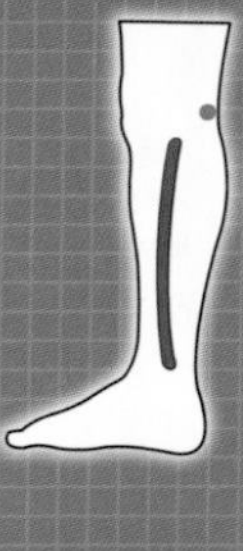

坐骨神経痛《ざこつしんけいつう》は正確には病名ではありません。坐骨神経経路である腰、臀部《でんぶ》、太もも、ふくらはぎに、しびれやうずくような痛みがあらわれる症状を総称して呼びます。腰痛とならび、原因が特定しにくい症状の筆頭といえるでしょう。また、腰部ヘルニアやすべり症、脊柱管狭窄症《せきちゅうかんきょうさくしょう》、分離症など、ほかの疾病が原因で神経が圧迫されて発症するケースも多くあるようです。原因が特定しにくいため、根治療法《こんじりょうほう》が確立しにくいという点も腰痛と同じです。

私の教える「足健道」では、**局部的な違和感を改善するのではなく、身体全体の調子を整えることにより、坐骨神経痛を改善していきます。**10年前に坐骨神経痛（すべり症が原因）と診断され、自分で靴下を履《は》けなくなっていた人が、3回の施術で自分で履けるようになったこともありました。改善例は数多くあります。

坐骨神経《ざこつしんけい》の反射区

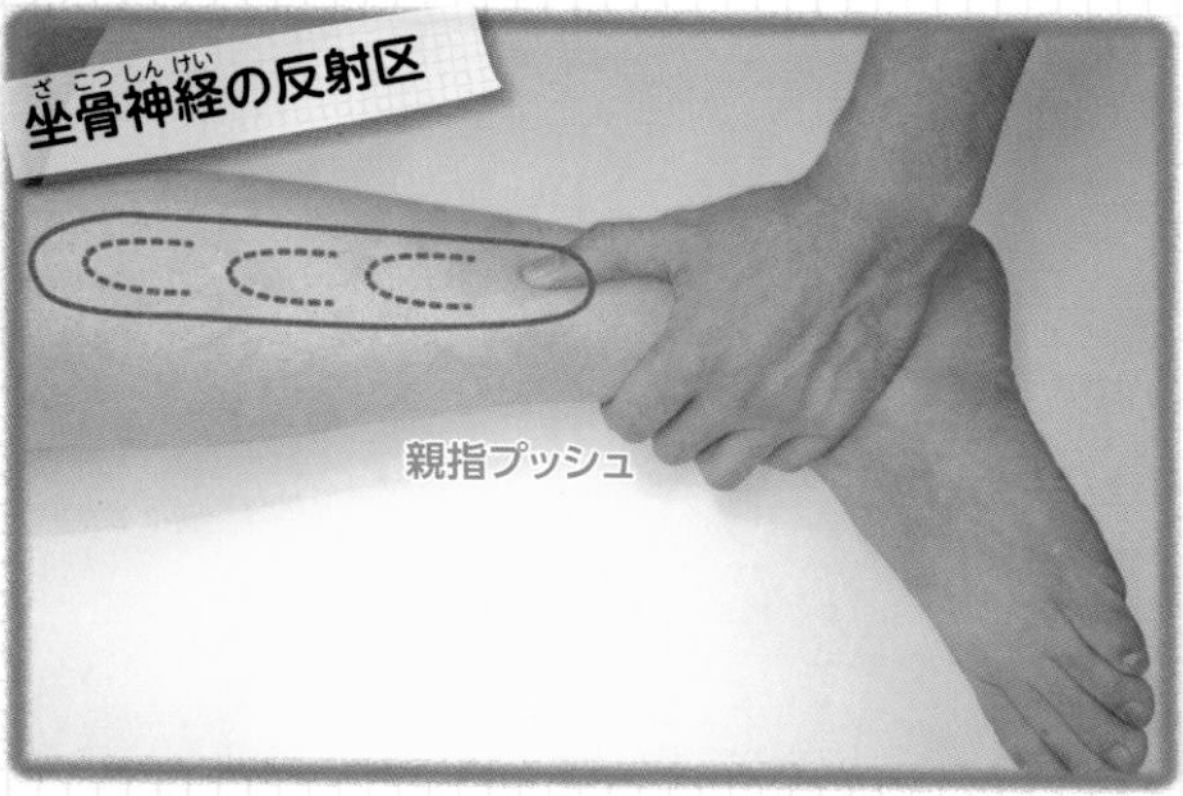

ふくらはぎの外側と内側、両方にある反射区。親指に力を入れて5〜7カ所、各3秒間の安定圧をかける。

ツボ36・委中《いちゅう》

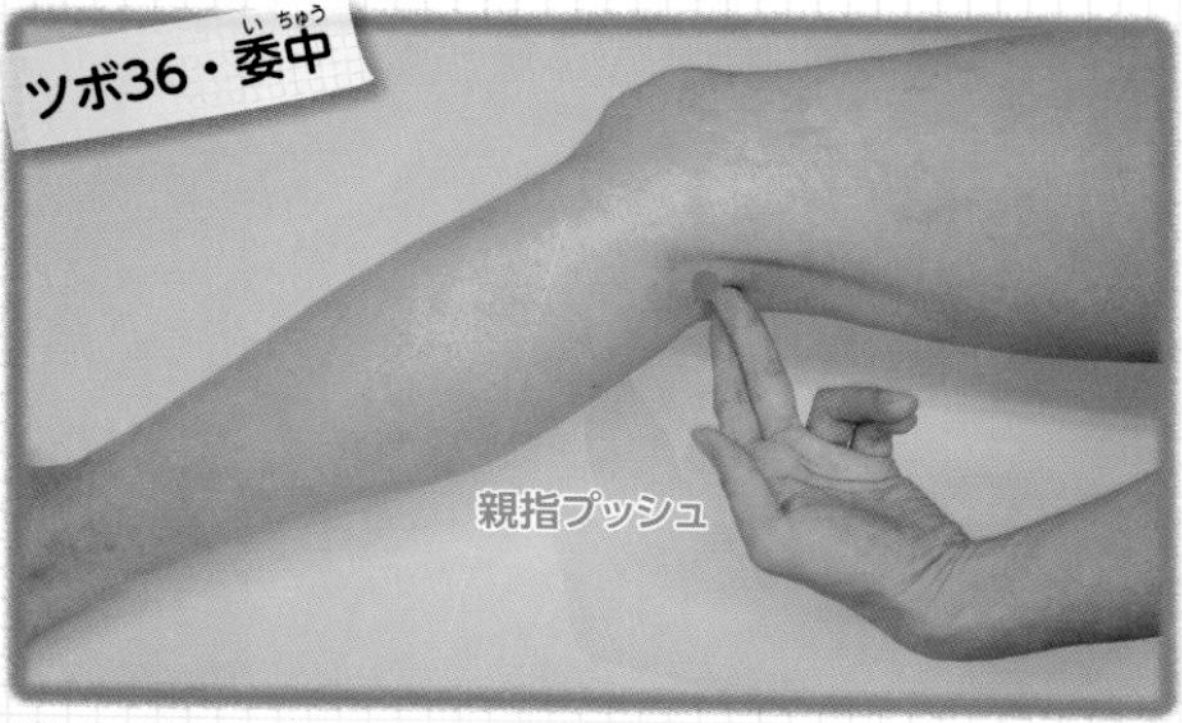

腰痛に効果があるツボ。ひざ裏の真ん中に、3秒間の安定圧をかける。

13 耳鳴り

放置すると難聴になる危険性あり。早めの対処を

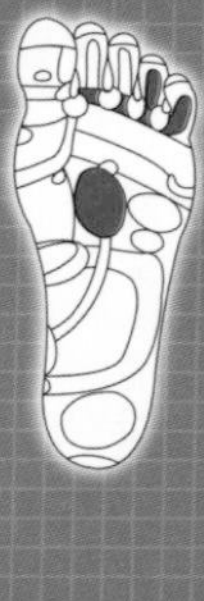

原因不明の耳鳴りに数十年以上悩まされている方はとても多く、私の元にも完治を求めて多くの方がいらっしゃいます。

耳鼻科や内科ではっきり病名を特定される人よりも、「異常なし」と診断されたにもかかわらず耳鳴りがする人のほうが、より深刻といえるでしょう。

耳鳴りは、本人にしか聞こえない音に常に悩まされるものであり、精神的な原因によっても発生します。そう、一度耳鳴りが発生すると「クセ」になってしまうことも多いのです。

原因不明の耳鳴りは、肩コリや首のコリを改善すれば、いっしょに改善できることがほとんどですが、「難聴」の初期症状としてあらわれることもあるので軽視してはいけません。まずは耳鼻科で診察を受けることをおすすめします。

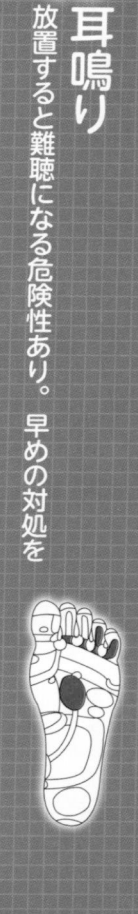

耳管《じかん》の反射区

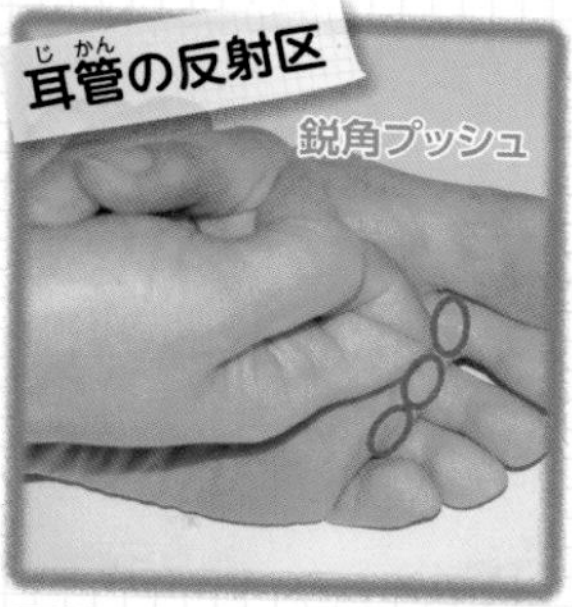

耳管とは鼓膜内外の気圧のバランスをとる器官。人差し指、中指、薬指のつけ根にその反射区がある。３カ所それぞれに3秒間の安定圧をかける。

耳の反射区

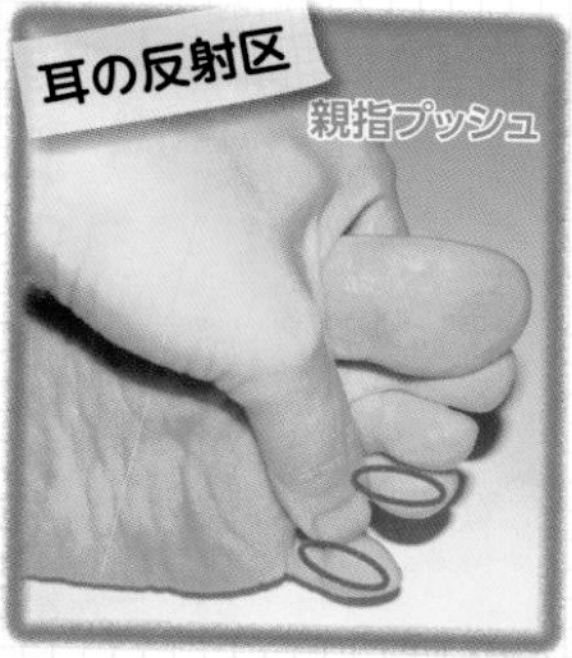

足の薬指と小指の腹側にある。縦に長いので、3秒間の安定圧を2、3回繰り返しかける。

ツボ22・地五会《ちごえ》

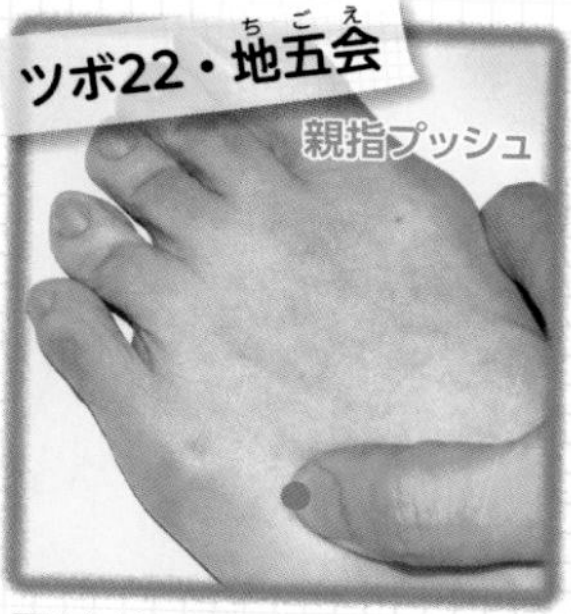

耳鳴りに効果があるツボ。手の親指をツボにねじりこむようにして、３秒間の安定圧をかける。

腎臓《じんぞう》の反射区

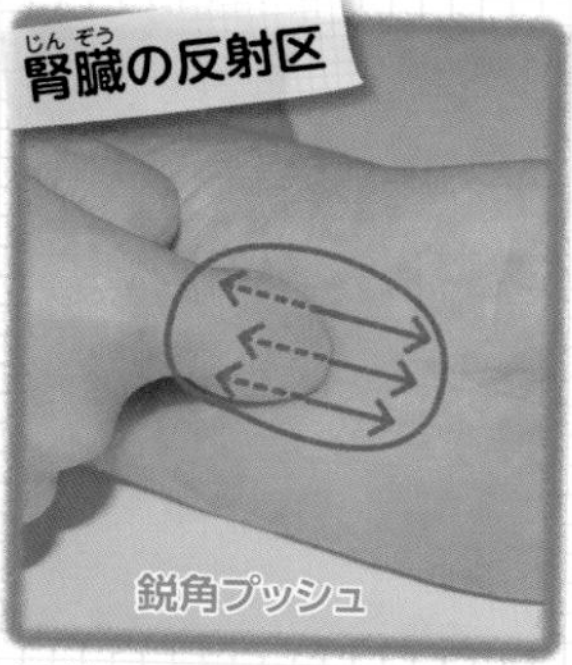

反射区全体をしごいて、痛みを感じる場所を探し、３秒間の安定圧をかける。

14 難聴

2カ月で聴力が戻ったケースも！

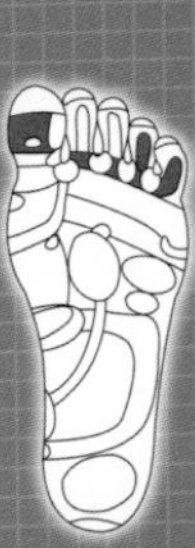

難聴とは聴覚が低下した状態をいいます。原因や症状によって、感音性、伝音性、混合性、老人性、先天性など、数多くの種類に分類されます。**難聴が聴力を失うことにまで発展する場合もあるので、聞こえにくいと感じたら、すぐに医療機関で診察を受けることをおすすめします。**

難聴は一度進行してしまうと、現代医学では完治が難しい病気の1つです。ただ、東洋医学をはじめとする民間療法では、難聴が劇的に改善した例が少なからずあり、「足健道」でも難聴が完治した例は数多くあります。

ツボ22・地五会《ちごえ》

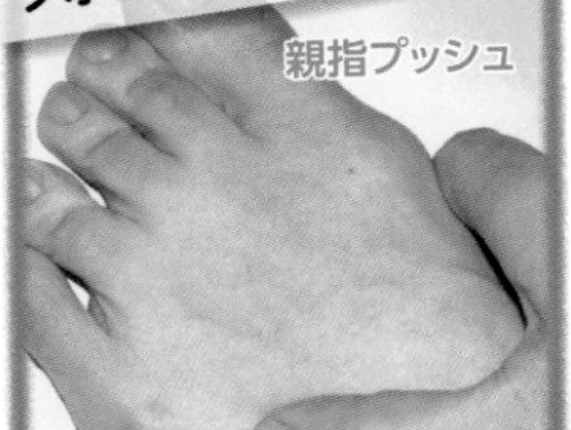

手の親指をツボにねじりこむようにして、3秒間の安定圧をかける。

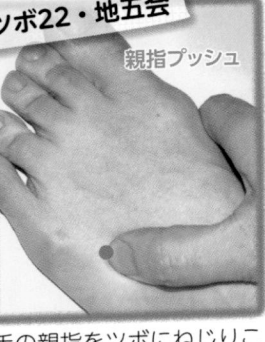

耳の反射区

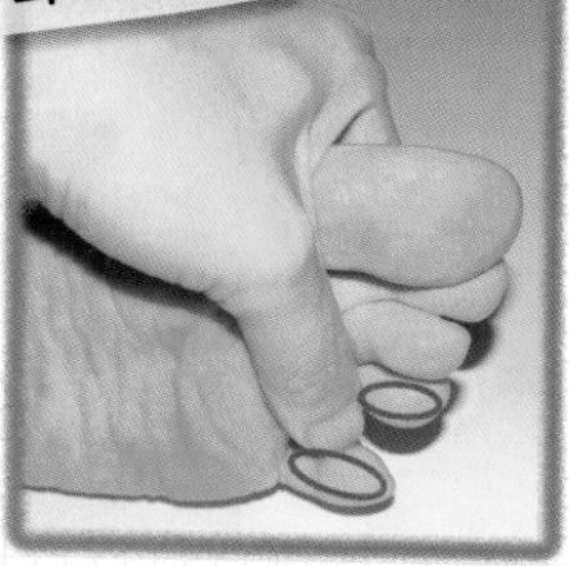

薬指と小指の腹側にある。縦に長いので、3秒間の安定圧を2、3回繰り返しかける。

大脳／小脳の反射区

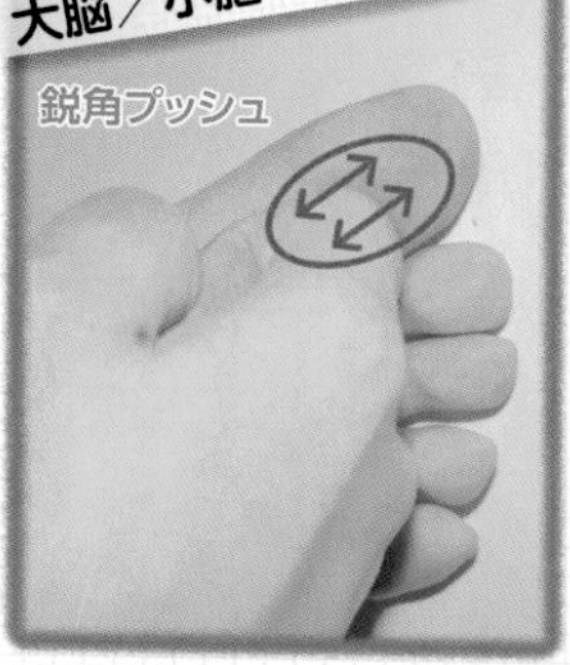

親指全体をしごき、痛みやしこりのある場所を探して3秒間の安定圧をかける。

鼻の反射区

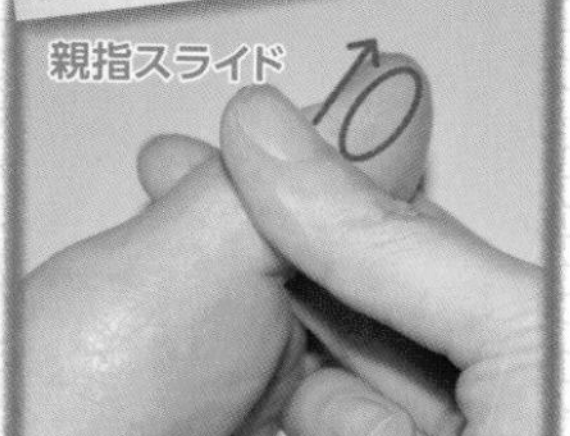

親指の側面外側を刺激する。指先に向かって圧をかけながら、しぼりだすようにすべらせていく。

耳管《じかん》の反射区

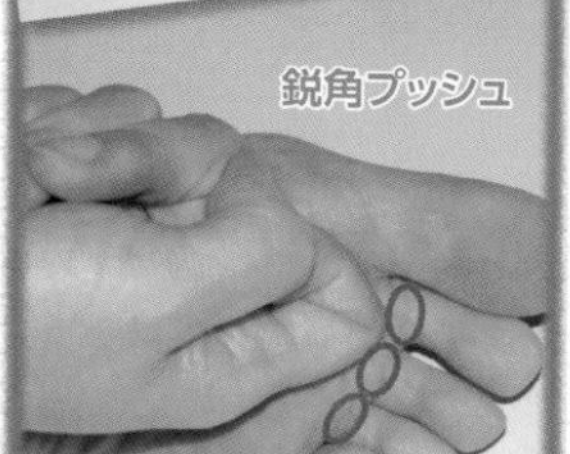

足の人差し指、中指、薬指のつけ根に、それぞれ3秒間の安定圧をかける。

15 歯痛・歯槽膿漏予防

痛みを止め、歯槽膿漏の予防にも役立つ

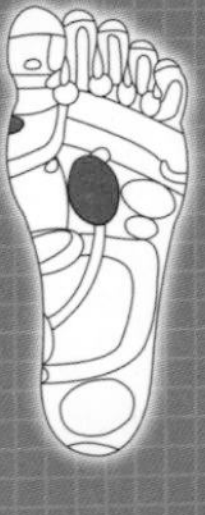

虫歯の原因は、歯の表面についた細菌です。細菌が酸をだし、歯のエナメル質表面のカルシウムを溶かし、むきだしになった神経が刺激されて痛みが生じます。

ここまで進行してしまった虫歯の場合、再石灰化（エナメル質が再生すること）は期待できませんので、速やかに歯科医の治療を受けることが必要です。

ただ、歯医者さんで治療を受けるまでの間、虫歯の痛みを一時的におさえることは「足健道」の足もみで可能です。また、歯根《しこん》の血流をよくして、歯槽膿漏《しそうのうろう》を予防することも可能です。すでに**歯槽膿漏を気にして、歯磨き粉や食生活に気を使っている人であれば、これから紹介する足もみは大きな助力になります**ので、ぜひ実践してみてください。歯根の血流をよくすれば、加齢による歯根のトラブルのほとんどを改善・防止できます。

副甲状腺《ふくこうじょうせん》の反射区

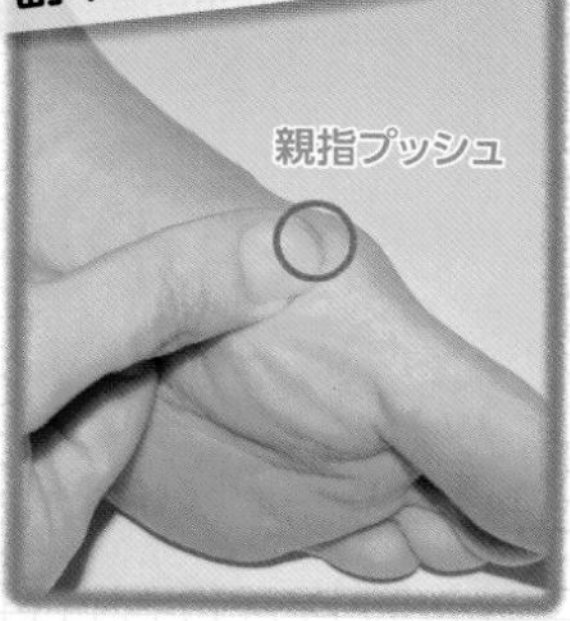

骨が少し凹んでいる場所に、手の親指を埋めこむようにして、3秒間の安定圧をかける。

歯の反射区

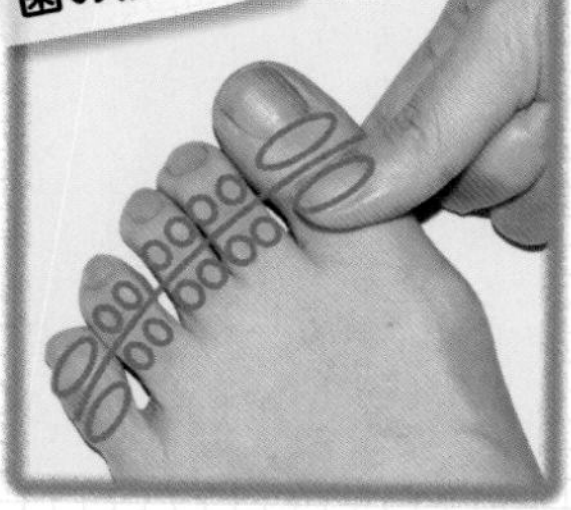

虫歯が上の歯であれば写真のラインより上、下の歯であればラインの下に3秒間の安定圧をかける。歯痛がとれない場合は10秒以上の安定圧を繰り返しかける。

腎臓《じんぞう》の反射区

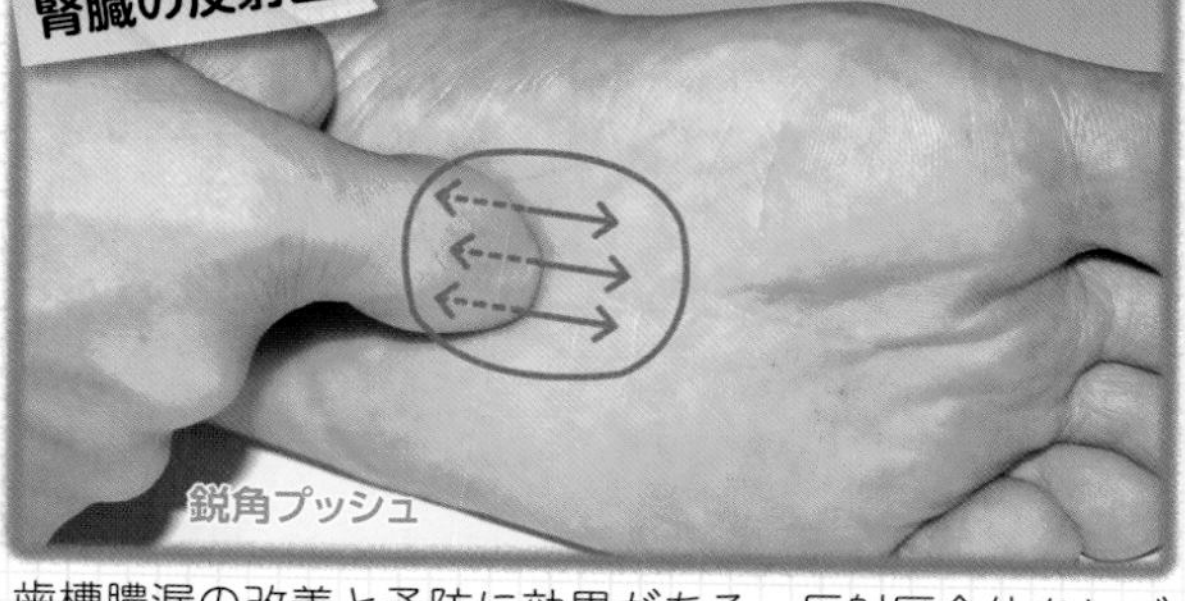

歯槽膿漏の改善と予防に効果がある。反射区全体をしごいて、痛みを感じる場所を探し、そこに3秒間の安定圧をかける。

16 頭痛

頭痛薬の服用回数が激減!

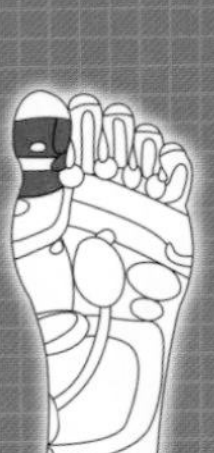

あまりの痛さに医療機関にいっても、9割以上の人が「異状なし」と診断されているのが頭痛の実情。ですから、頭痛が起きたとしても、ほとんどの人は痛みが引くのをジッと時間の経過に任せていると思います。慢性的な頭痛や偏頭痛に悩まされている人のほとんどは、こうした異常なしと診断された人たちなのです。

頭痛の原因は、脳にあることはまずなく、頭蓋骨の外側にある筋肉や筋膜、神経、脳を包む膜や血管などに原因があることがほとんどです。原因としては、冷えや肩コリ、精神的ストレス、睡眠のリズムなどが挙げられます。

「頭痛がするのは体質だから」とあきらめ、カバンの中に鎮痛剤を常備している人たちがたくさんいますが、**「足健道」の足もみを行うことによって、薬を服用する回数が激減することをお約束します。**

大脳／小脳／頭蓋底《ずがいてい》の反射区

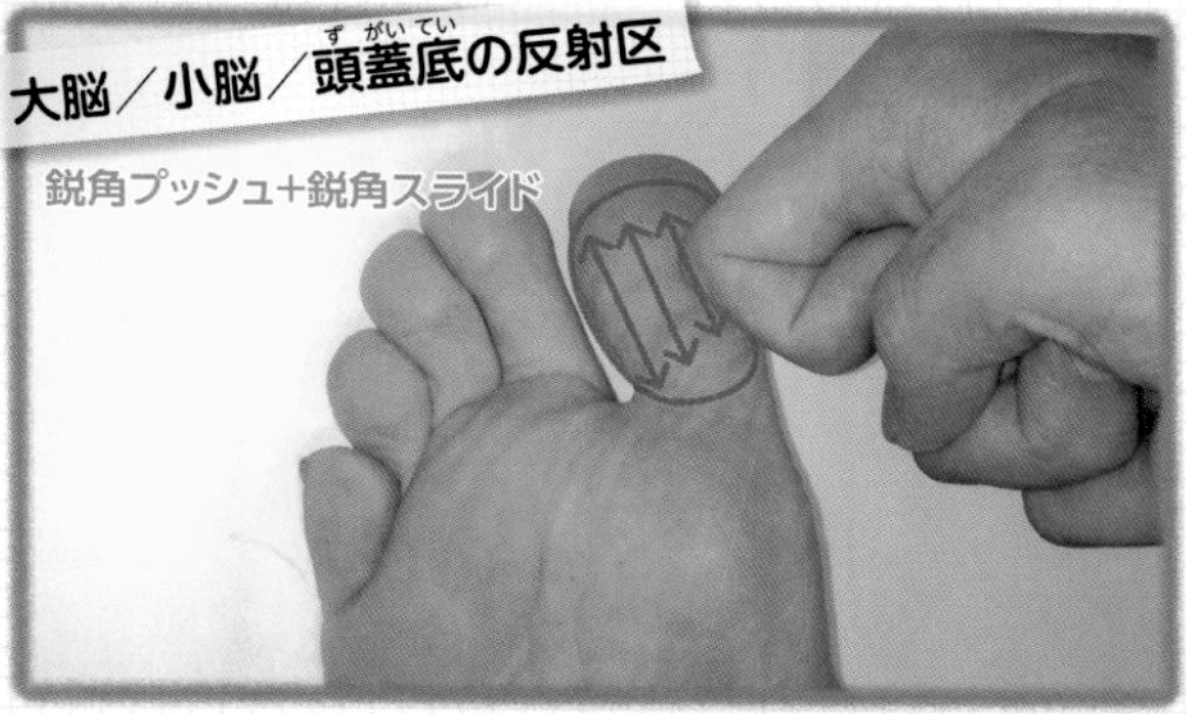

左右の足の親指には頭痛に効く反射区が集中している。親指全体を鋭角プッシュでしごき、痛いところやブチブチした老廃物を探して、それを押しつぶすように3秒間の強い安定圧をかける。

首の反射区

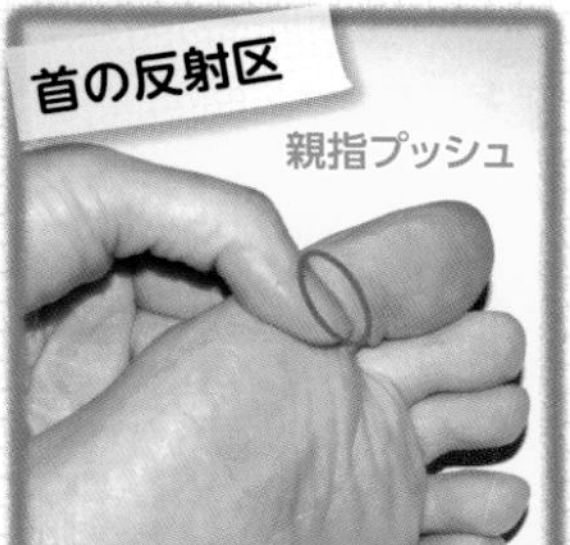

首周辺の不調を整える。痛みを感じるまで押し、そのまま3秒間の安定圧をかける。

三叉神経《さんさしんけい》の反射区

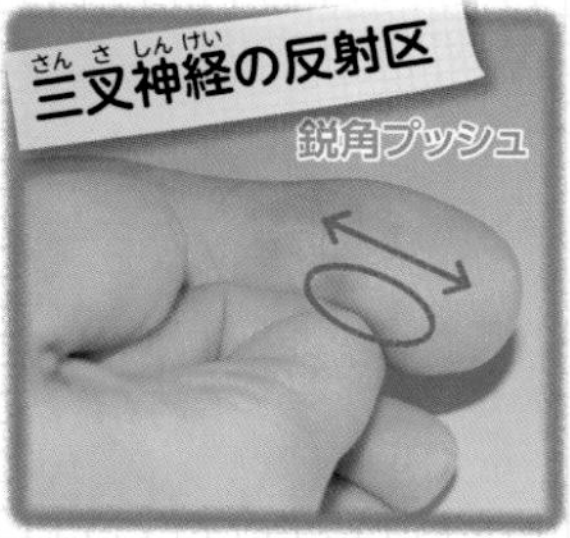

三叉神経とは脳内でもっとも太い神経のこと。上下にすべらせてしごくように刺激する。ピリピリする痛みがあれば効いている証拠。

17 頻尿

加齢だけが原因ではない

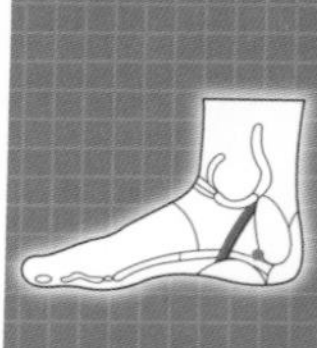

1日当たりの排尿の回数は個人差もありますが、1日に4～7回くらいであれば正常な範囲です。水分を多くとれば回数はふえますし、夏場は汗をかきますので回数が減るのは当然です。

もし、普段と変わらない生活をしているにもかかわらず、急に排尿の回数がふえた場合は、腎臓や膀胱、糖尿病、婦人科、前立腺などの病気が潜んでいることも考えられますので、医療機関で検査しましょう。

緊張やストレスが原因で尿の回数がふえている場合は、排泄機能や腎臓の機能を刺激する足もみで改善できます。また、夜中に何度もトイレに起きるという方は、身体が冷えていて眠りが浅くなっています。56ページ以降で紹介している「基本のコース」だけでも毎日もめば、非常に高い効果が得られます。

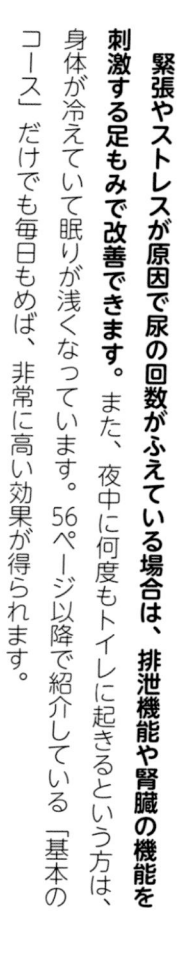

尿道の反射区

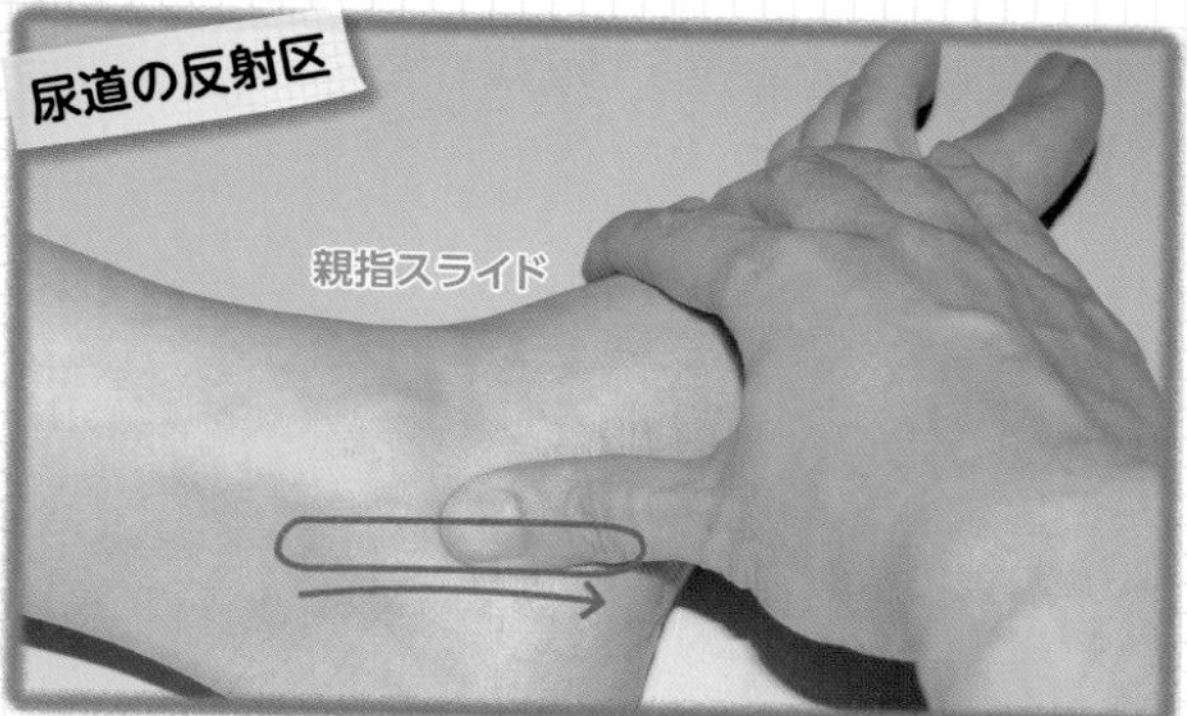

くるぶしの際からつちふまず（膀胱の反射区）の方向へ、親指の腹でチューブのクリームをしぼりだすようにすべらせる。

ツボ30・水泉《すいせん》

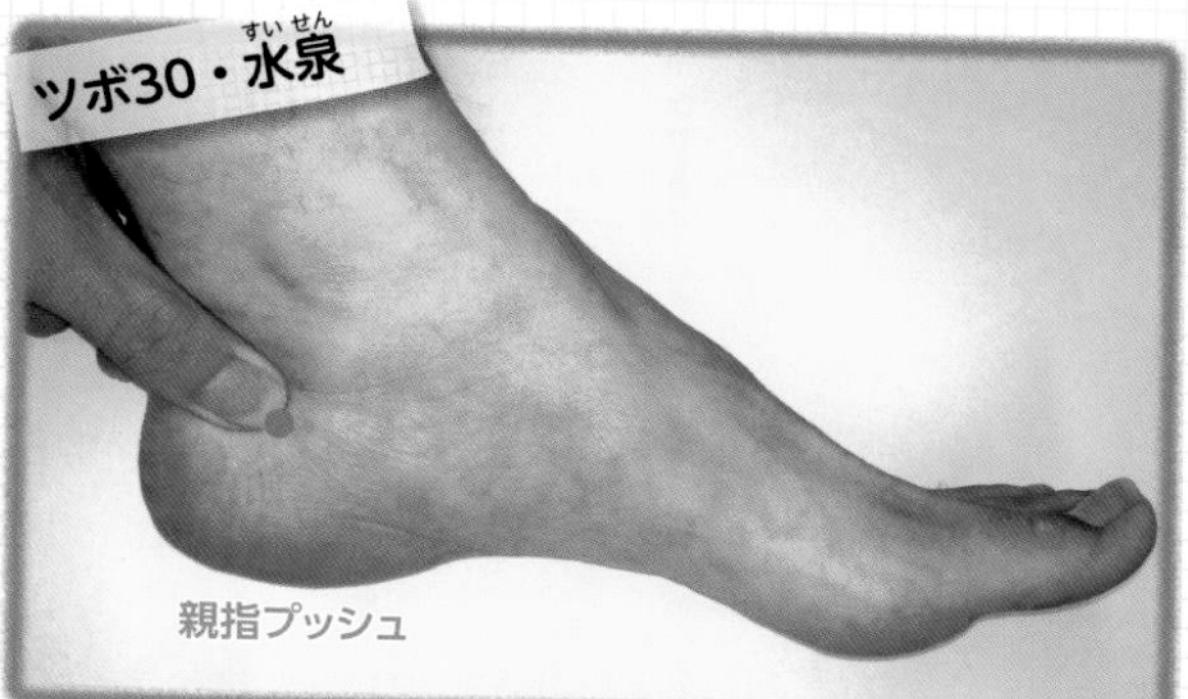

かかとと内くるぶしの中間にあり、排尿障害に効果がある。かかとの骨が凹んでいるところに親指で3秒間の安定圧をかける。

18 不眠症

入眠のきっかけを足もみでつかむ

不眠症の原因は、不規則な生活や乱れた食生活、過剰なストレスが原因であることがほとんどです。眠りのスイッチ（副交感神経優位状態）が、自然に切り替わらなくなってしまっているのが、不眠症の正体といえるでしょう。

一番つらいのは、いったん目が覚めてからまったく眠れなくなってしまうことではないでしょうか。**そんな時は、いっそのこと寝ないと決めてしまい、足もみを一心不乱に行うのもいい方法です。**

たとえ短時間しか眠れなくても、翌朝の目覚めがスッキリします。

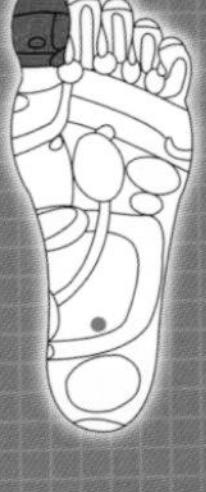

ツボ12・行間《こうかん》

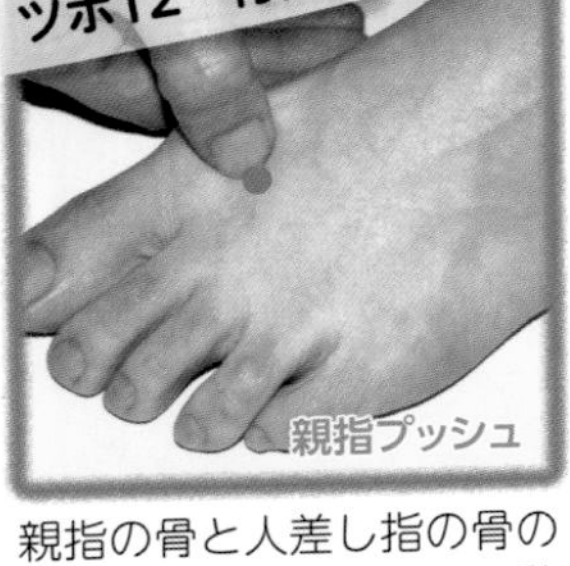

親指の骨と人差し指の骨の間（親指側）にある。3秒間の安定圧をかけてしばらくすると、徐々に気持ちが落ち着いてくる。

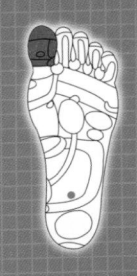

小脳の反射区

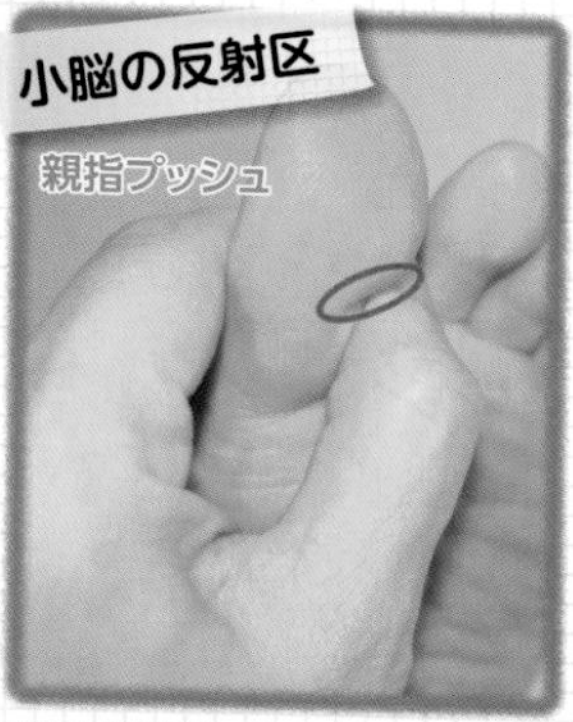

手の親指と人差し指ではさみこんで、親指側に向けて3秒間の安定圧をかける。

大脳の反射区

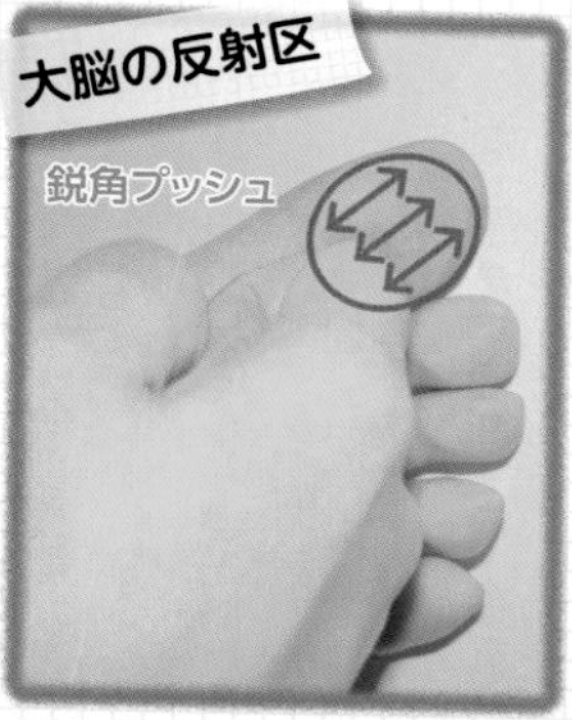

親指全体を鋭角でしごき、痛いところやブチブチした老廃物を探して、3秒間の安定圧をかける。

ツボ5・隠白《いんぱく》

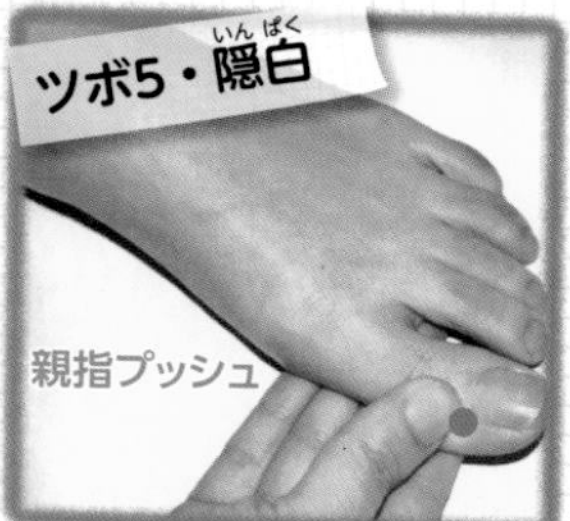

親指の爪のつけ根から少し内足側へずれたところにあり、精神を安定させる効果がある。親指で3秒間の安定圧をかける。

ツボ4・失眠《しつみん》

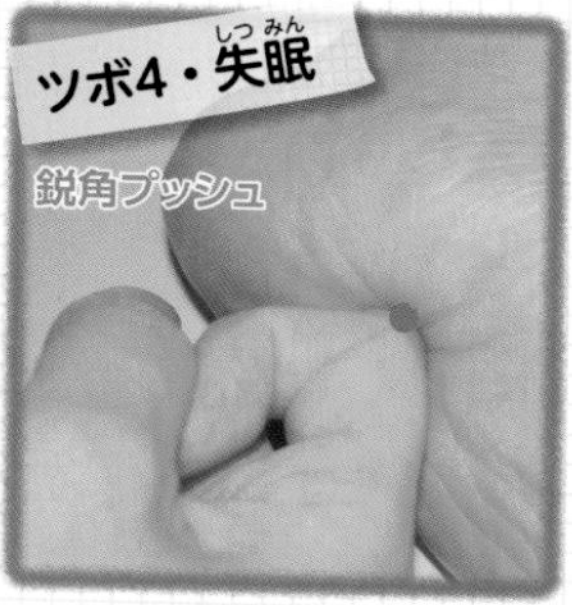

アキレス腱まで突き上げるように強く押し、痛みを感じたらそのまま3秒間の安定圧をかける。

19 花粉症
鼻のつまりがとれて、頭もスッキリ

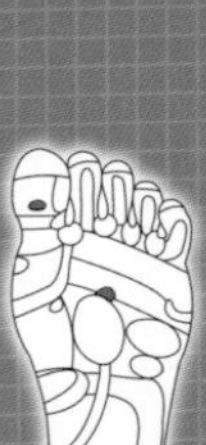

現在、日本人の約25%、4人に1人が花粉症だといわれます。花粉症とは、スギやヒノキなどの植物の花粉が原因となって、目のかゆみ、涙目、くしゃみ、鼻水、のどの痛みなどを引き起こすアレルギー症状をいいます。症状は個人差が非常に大きいのですが、免疫機能が花粉に対して過剰に反応した結果ですので、足もみによって免疫機能が正しく働くようにしてやれば、症状は驚くほど軽くなります。

私の治療院にも、春先になると花粉症に悩む人たちが大勢いらっしゃいます。鼻水、鼻づまりがひどい状態でも、つまった鼻が気持ちよく通ります。代謝機能が高まるため、鼻水は一時的に大量にでるケースが多いです。

なお、**免疫機能も向上するため、一時的にかゆみと炎症を強く感じることがありますが、継続してもむと、徐々に軽減していきます。**

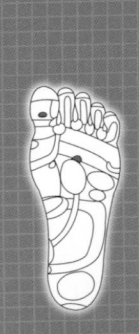

副腎《ふくじん》の反射区

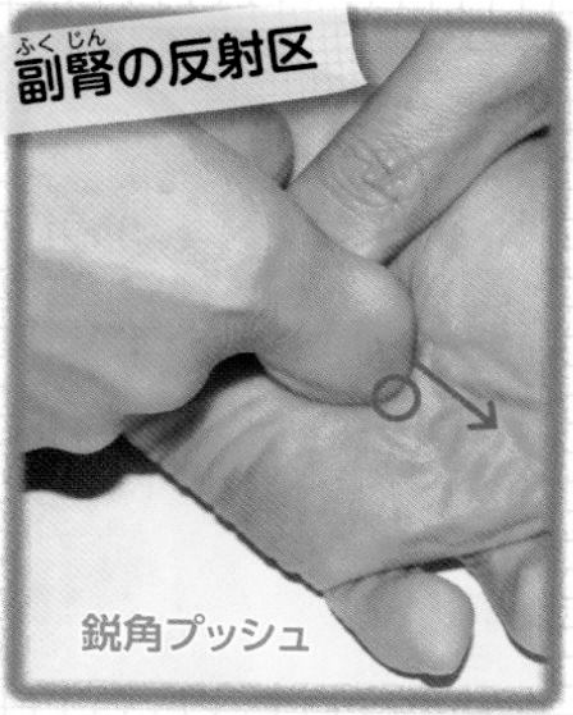

足の指先の方向へ突き上げるようにして強く押し、そのまま3秒間の安定圧をかける。

脳下垂体《のうかすいたい》の反射区

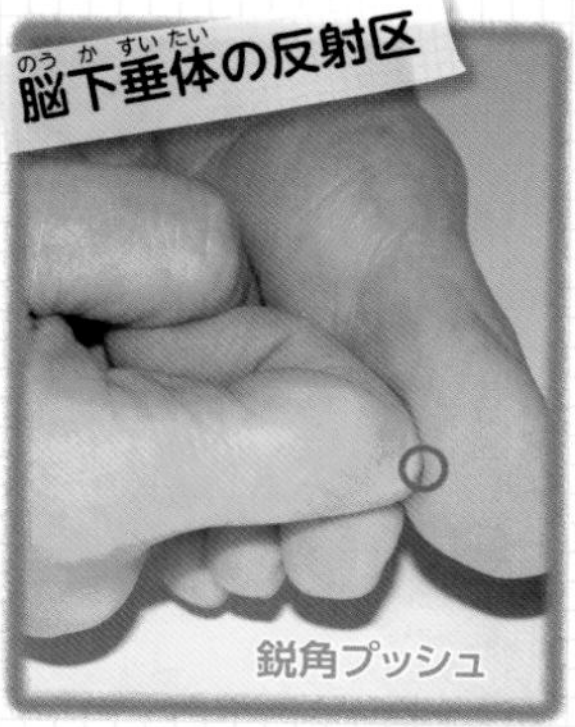

親指の指紋のほぼ中心にある小さな反射区。動かないようにしっかりささえ、3秒間の安定圧をかける。

ツボ10・照海《しょうかい》

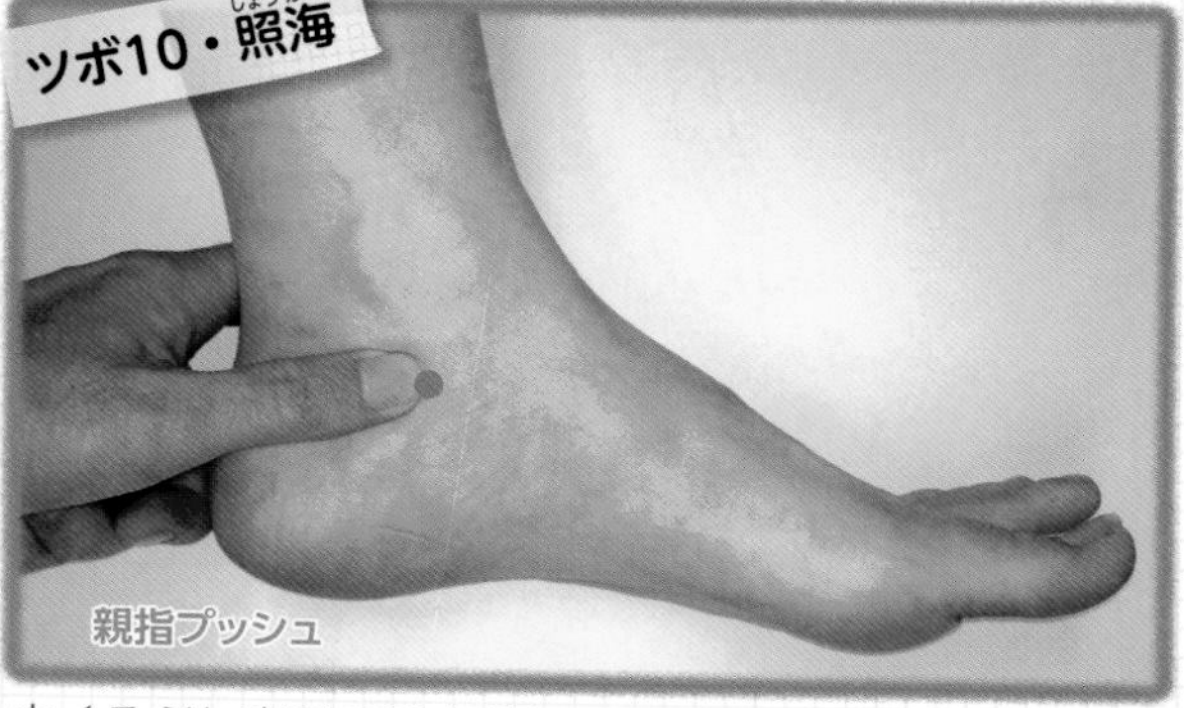

内くるぶし真下の凹んだところにある、アレルギーの特効ツボ。3秒間の安定圧をかける。

20 不妊症・生理痛

現在まで100%オメデタのすごい実績!!

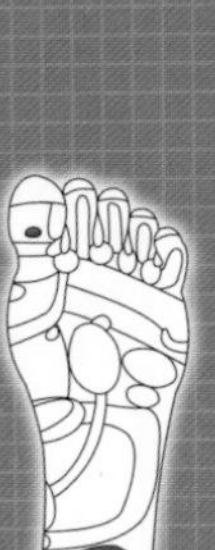

現代日本では、健全な性生活を2年間続けた結果、妊娠しない状態が続くと、「不妊症」と診断されます。男性に原因があるケースも少なくありません。

不妊の診断や治療は、個人や夫婦のデリケートなプライベート部分にまでチェックがおよぶことも多く、男女問わず、あまり触れられたくない話題でしょう。実際に病院での検査を敬遠し続け、子宝を授かる機会を得られないままのご夫婦も多いようです。

私は、不妊に悩んでいるご夫婦に対し、「足健道」の足もみを自信を持っておすすめしています。なんと、当院にいらした不妊治療をしても妊娠できなかった女性、妊娠の可能性は低いと医療機関で宣言されたすべての女性が懐妊《かいにん》しています。定期的に「足健道」の施術を受け、自宅でも毎日の足もみを実践された結果です。

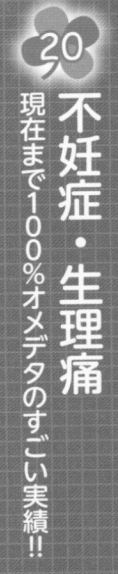

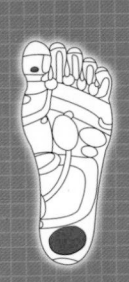

生殖腺《せいしょくせん》の反射区

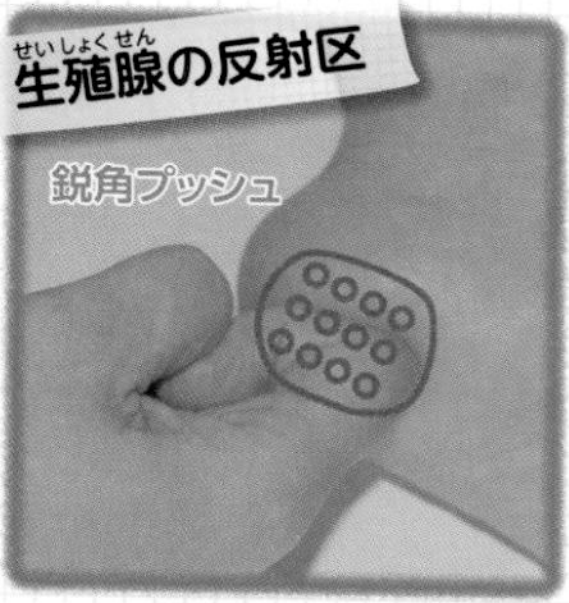

冷えを除去し、血流を促進させる反射区。反射区全体を埋めつくすように、3秒間の安定圧を繰り返しかける。

脳《のう》下《か》垂《すい》体《たい》の反射区

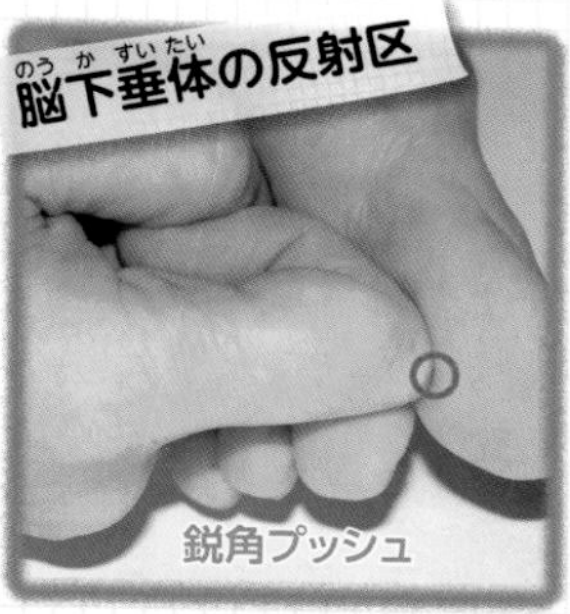

足の親指の腹のほぼ中心にある小さな反射区。動かないように親指をしっかりささえ、3秒間の安定圧をかける。

卵《らん》巣《そう》・睾《こう》丸《がん》の反射区

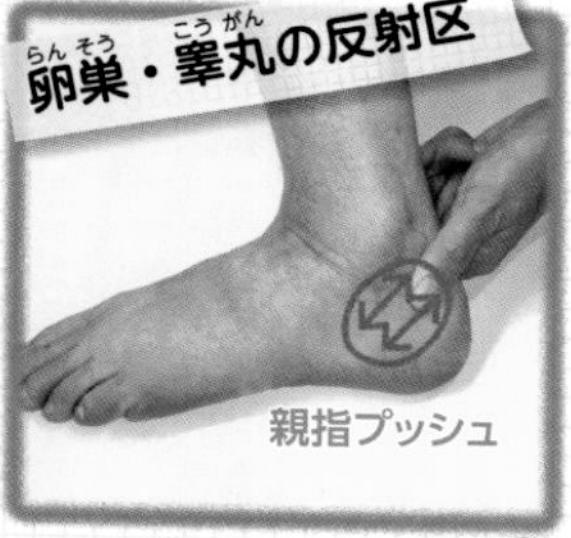

子宮・前立腺の反射区と対《つい》になる反射区で、こちらは外くるぶし側にある。親指をスライドさせながら刺激し、痛みを感じたところには3秒間の安定圧をかける。

子《し》宮《きゅう》・前《ぜん》立《りつ》腺《せん》の反射区

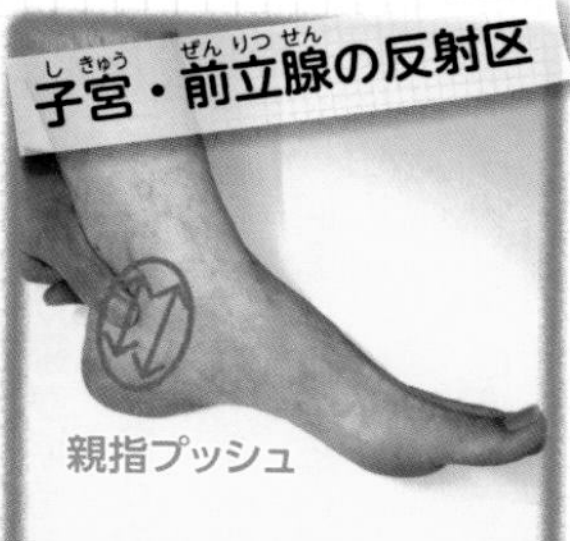

内くるぶしの下にある反射区。親指をすべらせながら反射区全体を刺激し、痛みを感じたところには3秒間の安定圧をかける。

21 インポテンツ（勃起不全・ED）

毎日もめば人知れず治せます

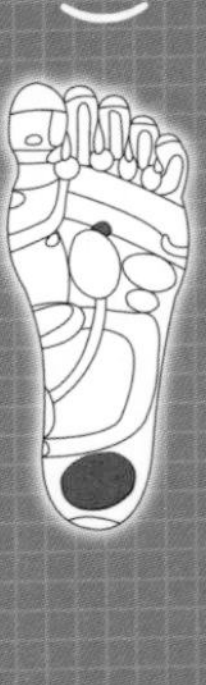

インポテンツ（勃《ぼっ》起《き》不《ふ》全《ぜん》・ED《イーディー》）には2つのタイプがあります。1つは身体的原因のもの、もう1つは主にストレスによる精神的原因のものです。身体的な障害とは、糖尿病や病気治療のための薬の副作用などが考えられます。これらについては、病気が治れば自然と回復していくでしょう。**即効的な効果が期待できるのは、心因性ストレスが原因で起こるインポテンツで、「足健道」では多くの改善実績があります。**完治した本人は口にださなくても、奥様からこっそり教えていただいた例も数多くあります。それほど繊細なことですので、医者にかかるのが恥ずかしいという方は、人知れず自分で足もみしてみてはいかがでしょうか?

もむ場所は、女性の「不妊症」に効果がある反射区とほぼ同じですが、男性の場合は、ホルモンバランスに大きく影響を与える副腎の反射区を追加しています。

子宮《しきゅう》・前立腺《ぜんりつせん》の反射区

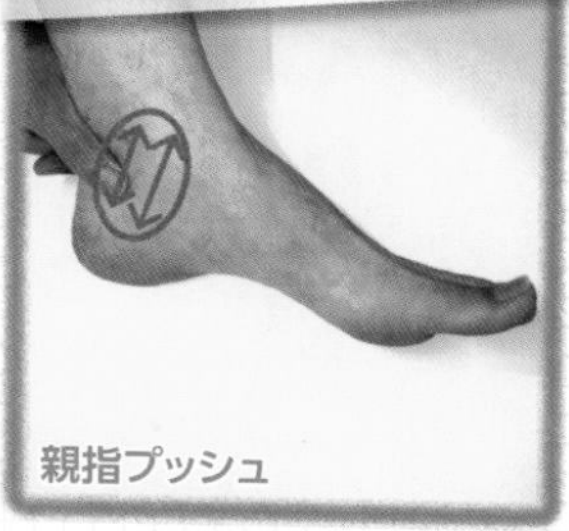

内くるぶしの下にある反射区。親指をすべらせながら反射区全体を刺激し、痛みを感じたところには、3秒間の安定圧をかける。

生殖腺《せいしょくせん》の反射区

冷えを除去し、血流を促進させる反射区。反射区全体を埋めつくすように、3秒間の安定圧を繰り返しかける。

副腎《ふくじん》の反射区

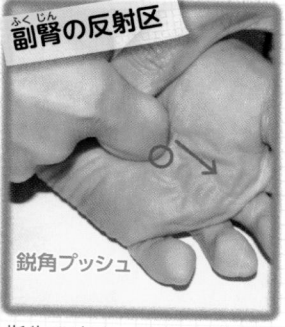

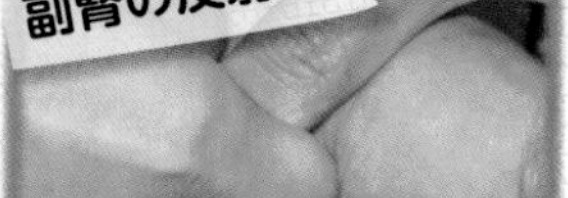

指先の方向へ突き上げるように強く押し、そのまま3秒間の安定圧をかける。

卵巣《らんそう》・睾丸《こうがん》の反射区

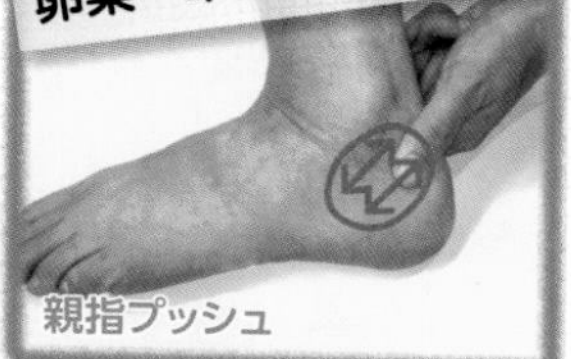

子宮・前立腺の反射区と対になる反射区で、こちらは外くるぶし側にある。親指をスライドさせながら刺激し、痛みを感じたところには、3秒間の安定圧をかける。

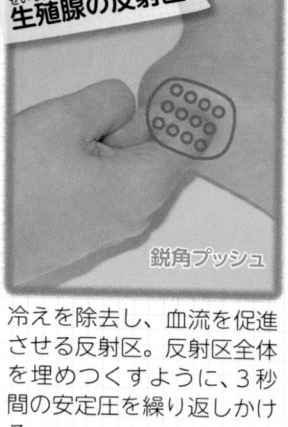

Chapter 4

医者や薬には極力頼らない！

病気を遠ざける「足もみ」の極意

ちょっと風邪を引いただけで、身体がだるくなったり、集中力がなくなったり。

病気になって初めて、健康のありがたみがわかります。

こんな時、どうしますか?

ここでは、病気の治療の効果を加速させる特効薬であるツボと反射区を紹介していきます。

22 高血圧
たった10分で20下がることもザラ！

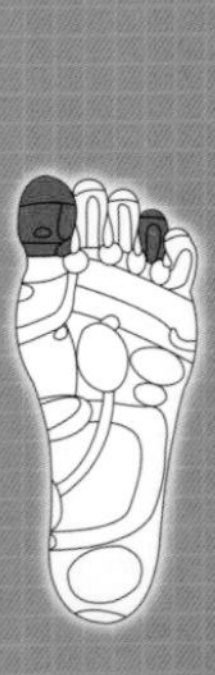

高血圧は、血液が粘性《ねんせい》を帯びてドロドロになり、血管に大変な負担をかけている状態です。ほうっておくと、血管に負担がかかり、その結果、動脈がかたくなり血管の内壁ももろくなります。それが脳梗塞《のうこうそく》、脳卒中、心筋梗塞《しんきんこうそく》など、危険な病気の原因となってしまいます。自覚症状がほとんどないのもやっかいな点です。

高血圧は、「基本のコース」をもむだけでも効果があります。そのほか次のページでは、血圧とあまり関係なさそうな肝臓と胆嚢《たんのう》に関係する親指と薬指を回すことをすすめていますが、これは東洋医学の「肝《かん》は筋膜《きんまく》をつかさどる」という考え方に基づいたもの。効果は抜群です。ぜひお試しください。

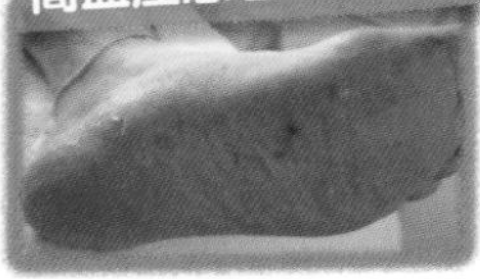
高血圧患者の足

足裏の角質が全体的に肥厚してくる。足もみを始めると老廃物が皮膚のめくれとしてあらわれてくる。

小脳の反射区

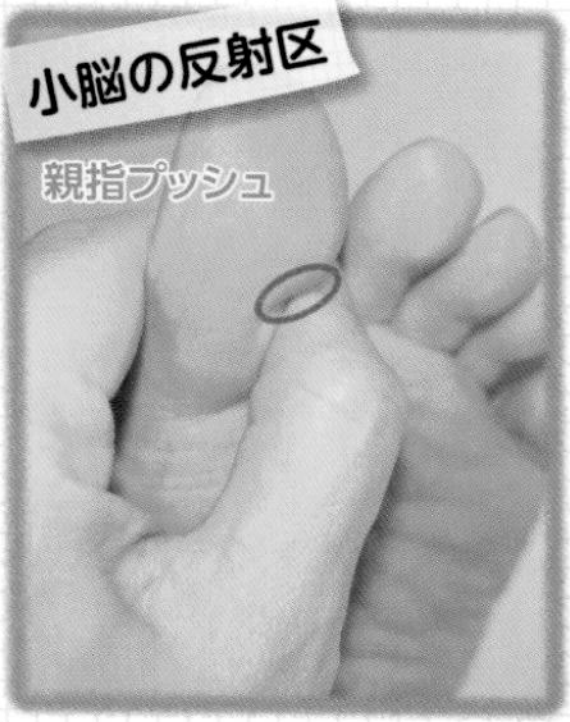

親指のつけ根の周辺に、強く力をこめて3秒間の安定圧をかける。

こんな事例も！

最高：194 最低：125
↓
最高：172 最低：98

最高：180 最低107
↓
最高：144 最低88

足もみを行った結果、血圧が一気に正常値に近づくことはよくありますが、これは一時的なものです。根本的な改善のためには、毎日の継続が必要です。

ツボ39・崑崙《こんろん》

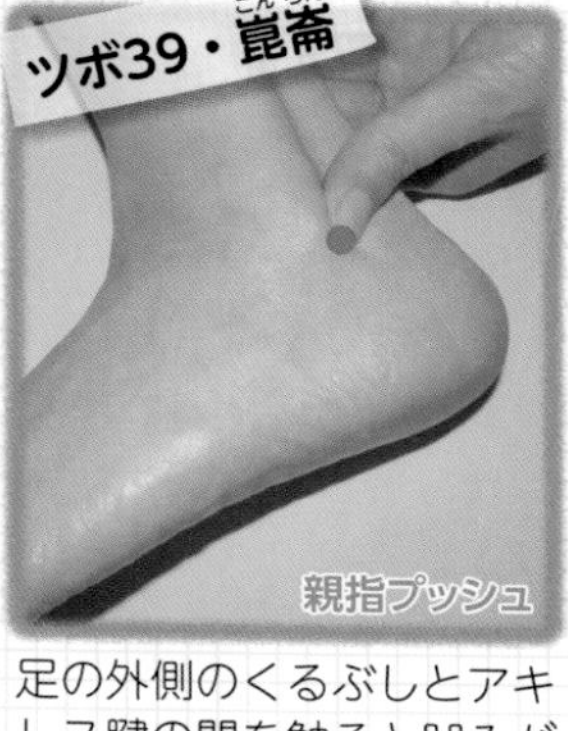

足の外側のくるぶしとアキレス腱の間を触ると凹みがある。この凹みに3秒間の安定圧をかける。

親指と薬指を回す

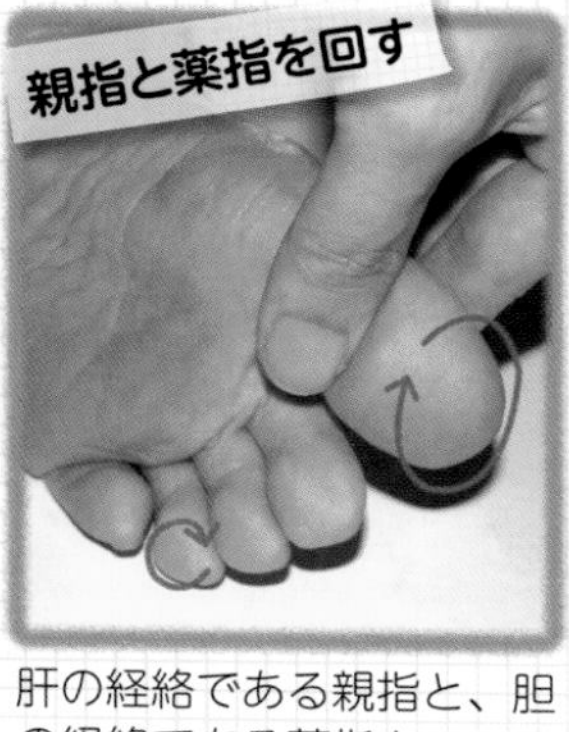

肝の経絡である親指と、胆の経絡である薬指を、つけ根からしぼり上げるようにもみこむ。

23 糖尿病

ふくらはぎのしこりが消えれば血糖値も下がる！

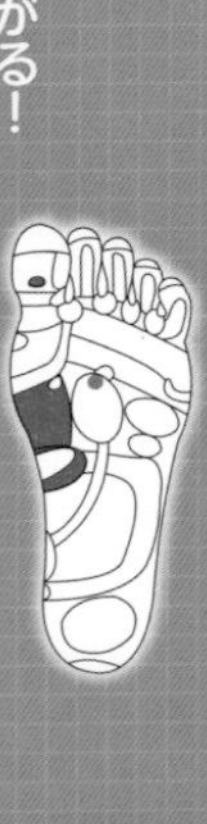

糖尿病は、悪化すると失明や死にいたる恐れもある、非常に危険な病気です。すい臓から分泌されるインスリンというホルモンが不足し、ブドウ糖をエネルギー源として吸収できなくなって糖代謝の異常が起こります。自覚症状がほとんどなく、進行すると、体重が急激に減る、のどが渇く、多尿、性欲減退などの症状があらわれます。放置してしまうと様々な合併症を起こす怖い病気です。**糖尿病予備軍の見分け方として、足の親指やかかとが、黄色くなって角質が肥厚《ひこう》していたら要注意です。**

胃／すい臓／十二指腸《じゅうにしちょう》の反射区

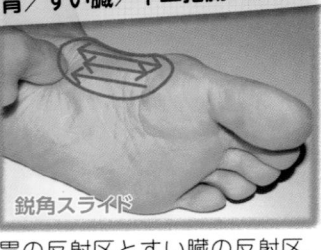

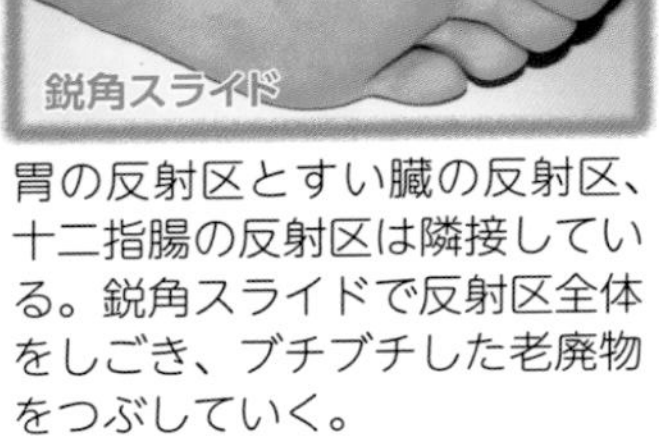

胃の反射区とすい臓の反射区、十二指腸の反射区は隣接している。鋭角スライドで反射区全体をしごき、ブチブチした老廃物をつぶしていく。

糖尿病患者の皮膚

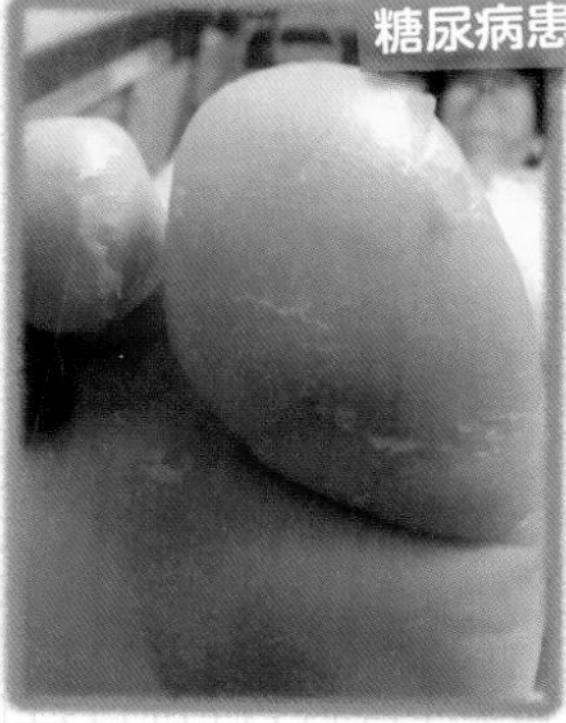

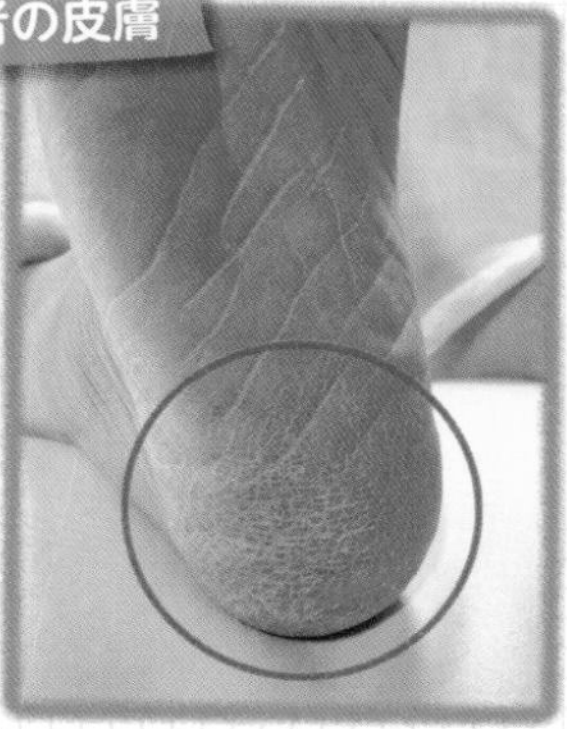

足の皮膚が厚くなり、黄色っぽくなっていたら注意が必要。

ツボ2・湧泉《ゆうせん》

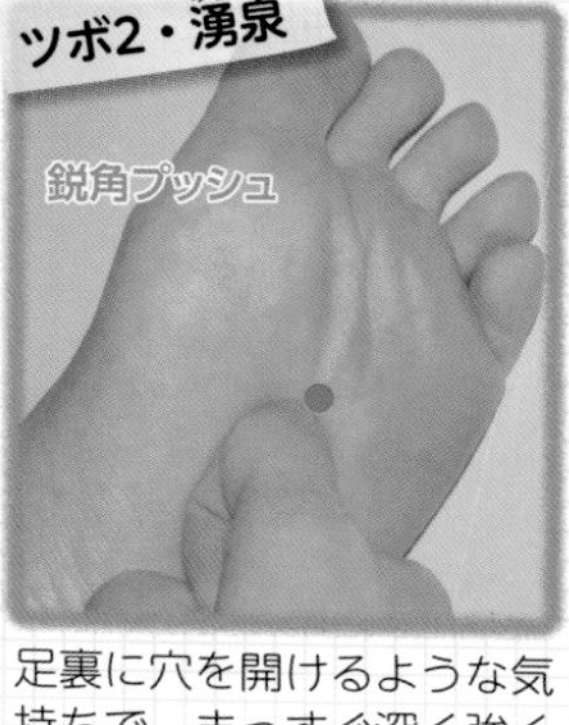

足裏に穴を開けるような気持ちで、まっすぐ深く強く押し、3秒間の安定圧をかける。

脳下垂体《のうかすいたい》の反射区

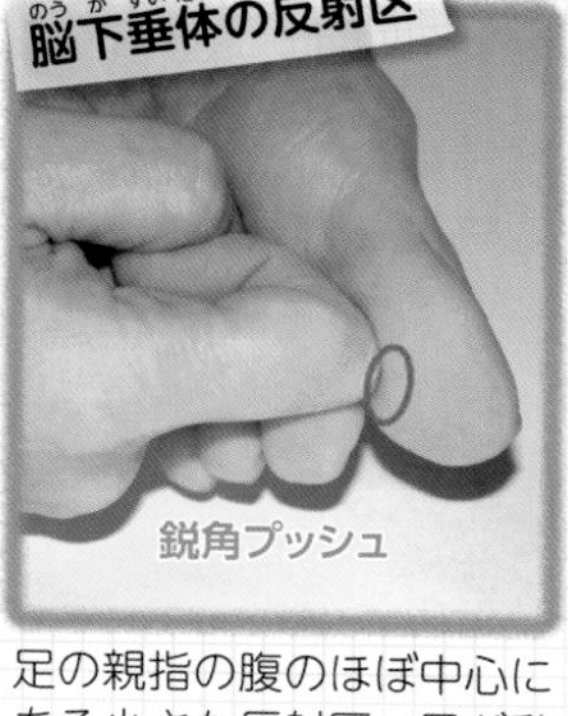

足の親指の腹のほぼ中心にある小さな反射区。足が動かないようしっかりささえ、3秒間の安定圧をかける。

24 気管支炎

免疫機能をアップして気管支を細菌から守る

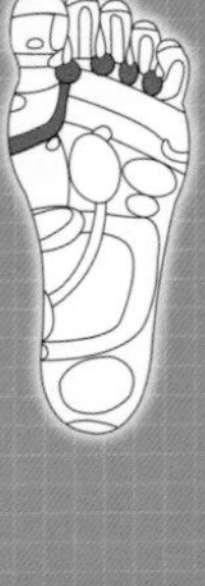

これまで、気管支炎といえば細菌やウイルス感染によるものがほとんどでしたが、最近では大気汚染によるものもふえ、アレルギー、喫煙などでもなるケースがあるようです。いずれの場合も、気管支にまとわりついた病原菌や煙などの異物を、免疫機能が体外に排除しようとするため、しつこい咳《せき》や痰《たん》がでます。こうした症状が3カ月以上続いた場合、医療機関で慢性気管支炎と診断されます。

気管が弱い人は、足の甲側の、親指と人差し指の骨の間を触ってみると、モッコリとした老廃物でできたしこりを発見するはずです。押すと強い痛みがありますが、それを指で丁寧に押しつぶしていきます。

また、突発的に気管支炎になってしまった場合は、リンパ腺を活性化させる反射区をもむと、効果的です。

気道・食道・気管支の反射区

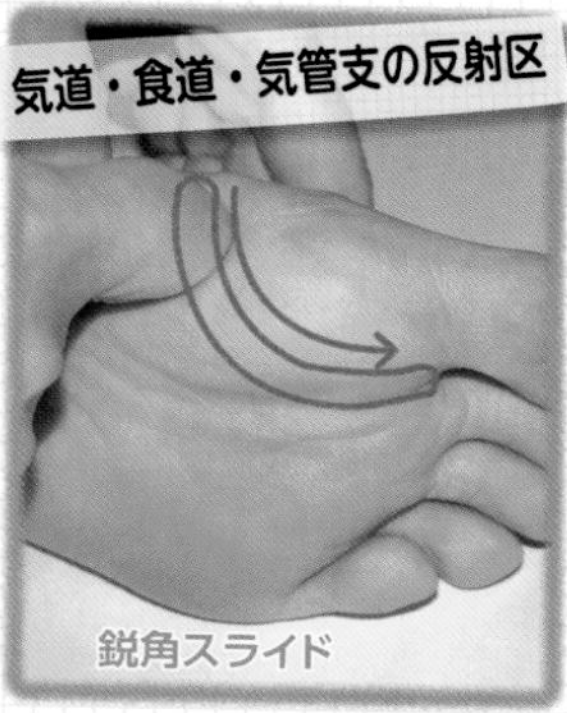

力を入れ、骨の際に手の指をこすりつけるようにすべらせる。

上部リンパ腺《せん》の反射区

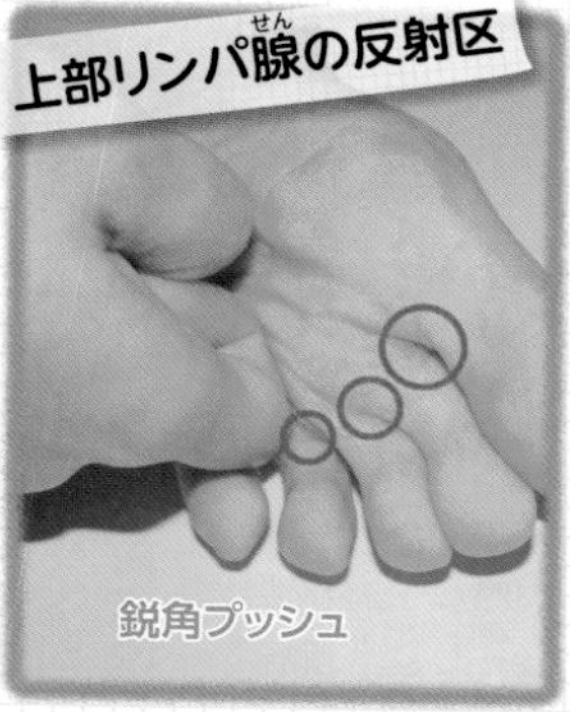

足裏の指と指の間のつけ根に、３秒間の安定圧をかける。

胸部リンパ腺の反射区

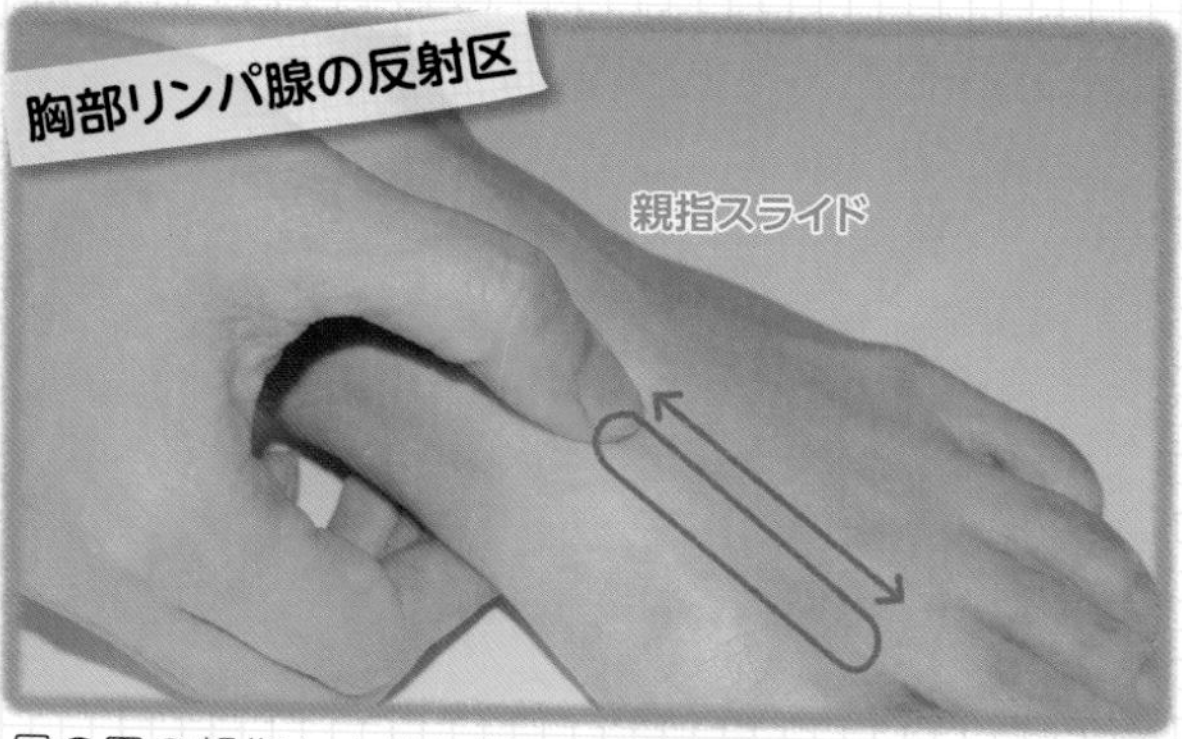

足の甲の親指と人差し指の間を刺激する。骨と骨の間にモッコリとしたしこりがあった場合は強い痛みを感じるので、力を加減しながらつぶしていく。

25 心筋梗塞
手術をせずに進行をストップさせたケースもある

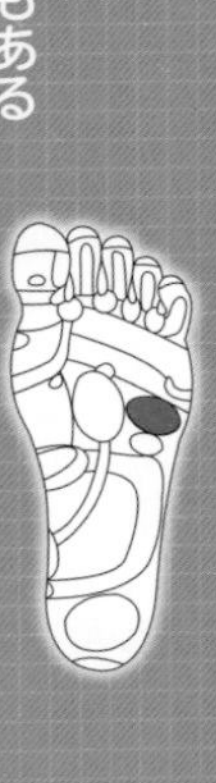

心筋梗塞《しんきんこうそく》とは、心臓の冠動脈《かんどうみゃく》が動脈硬化などの原因により閉塞《へいそく》してしまう、突然死の代名詞的な病気です。また、心筋梗塞にいたらなくても、冠動脈が一時的に閉じたり狭くなることもあり、この症状を狭心症《きょうしんしょう》と呼んでいます。

実は、心筋梗塞や狭心症には、**胸や背中に痛みを感じたり、左手の小指がズキズキ痛んだりするという前兆のような症状がでることがあります。覚えておくといいでしょう。**

私の実母は心筋梗塞と診断されたことがあります。医師の診察を受ける以前、**「背中が痛くて目が覚めた」**とよく話していたのを覚えています。なお、母は手術が必要な状態でしたが、「足健道」の足もみを毎日実行すると、みるみる体調がよくなり、結局、手術することなく心筋梗塞の進行をストップさせることができたのです。

心臓の反射区

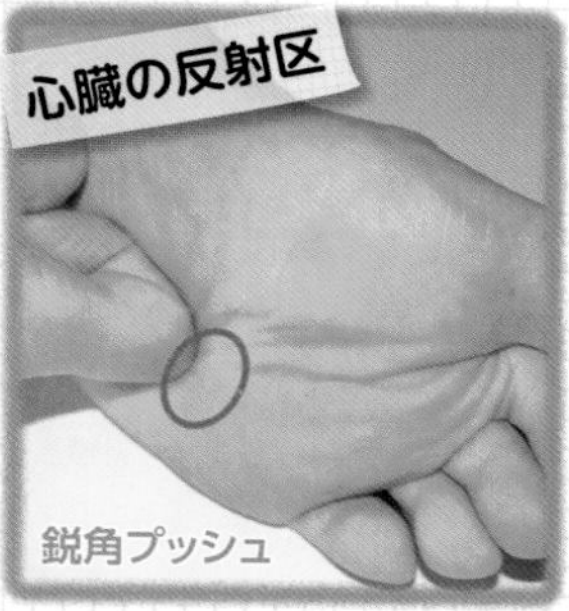

心臓の反射区は「左足」の裏側、小指と薬指の下にある。右足にはないので注意。強めの力で3秒間の安定圧をかける。

心臓病患者の足

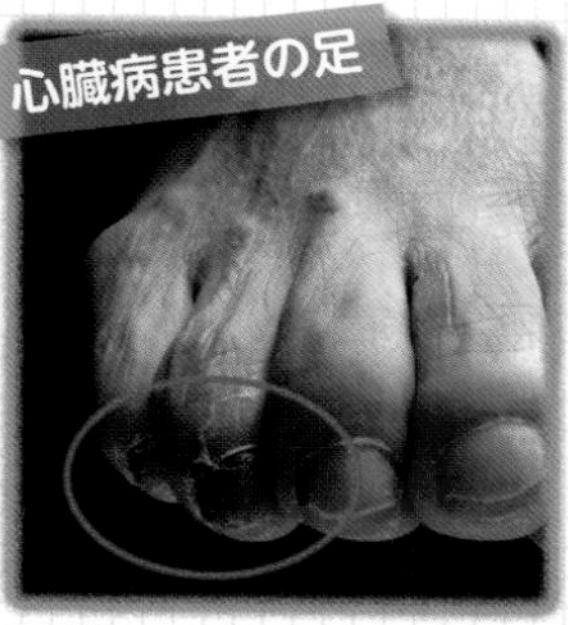

爪が黒くなり、足の色が全体的に茶色に変色すると心肺機能が低下している可能性がある。くるぶしの腫れにも注意したい。

ふくらはぎをもみほぐす

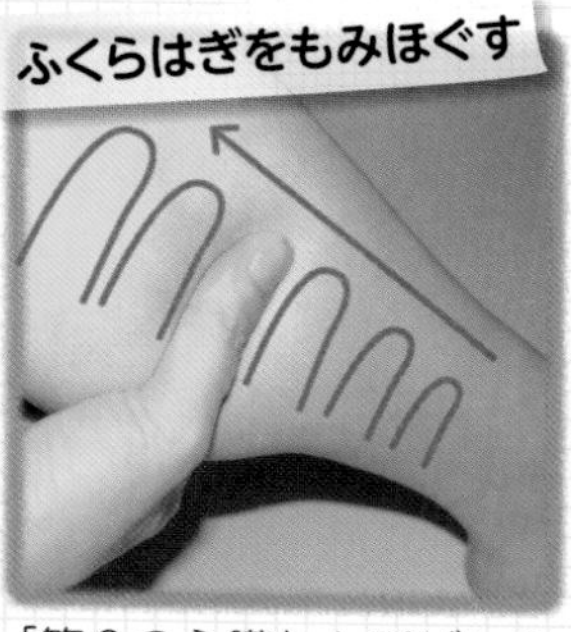

「第２の心臓」と呼ばれるふくらはぎを下から上にしぼり上げるようにもむ。痛みを感じるくらい、しっかりもみほぐす。

ツボ11・大敦《だいとん》

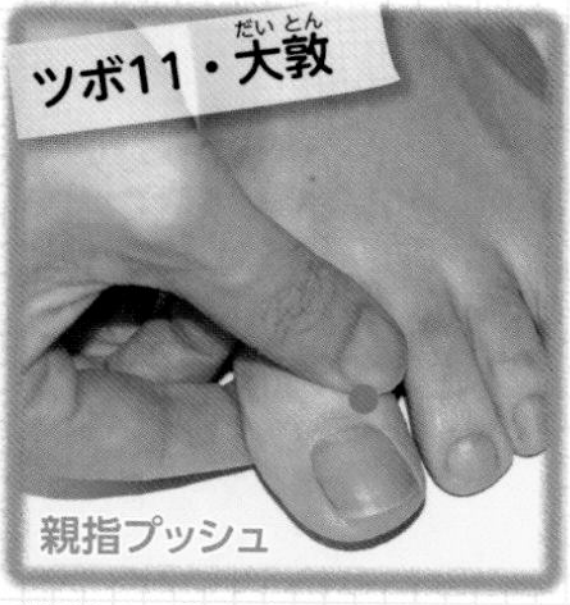

親指の爪の生え際にある、心臓機能に効果のあるツボ。足の親指を裏からささえながら3秒間の安定圧をかける。

26 腎臓病

自覚症状がでる前に、日々ケアしたい

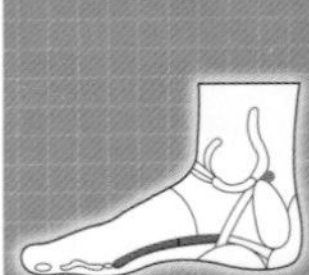

腎臓《じんぞう》は、老廃物や水分を排泄し、尿を作る「がんばり屋さんの臓器」とも呼ばれる腎臓は、老廃物や水分を排泄し、尿を作るという過酷な役目を担っています。にもかかわらず、腎臓の不調は、なかなか自覚症状がでにくい特徴があります。

腎臓病の早期発見には、たんぱく尿の数値を検診でチェックする以外にありません。また腎臓の働きが弱ってくると、むくみがでて、高血圧になりやすくなります。

スネの骨周辺を皮膚の上から10秒ほど指で強く押圧し、肉眼ではっきりわかるほど凹んでしまうようであれば、腎臓の働きの低下が考えられます。じっくりと足もみを続けていきましょう。ただし、すでに透析《とうせき》をしている人は、1日5分程度から始め、医師と相談しながら継続していってください。

ツボ25・至隠《しいん》

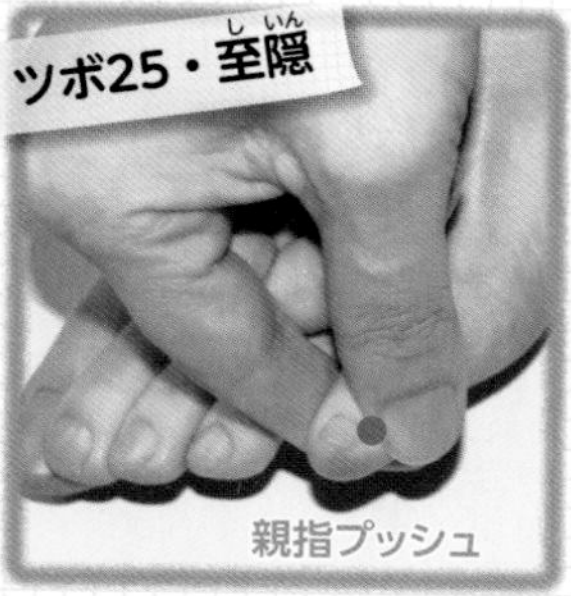

小指の爪の生え際にあるツボ。手の指でつまんだ状態で3秒間の安定圧をかける。

胸椎《きょうつい》／腰椎《ようつい》の反射区

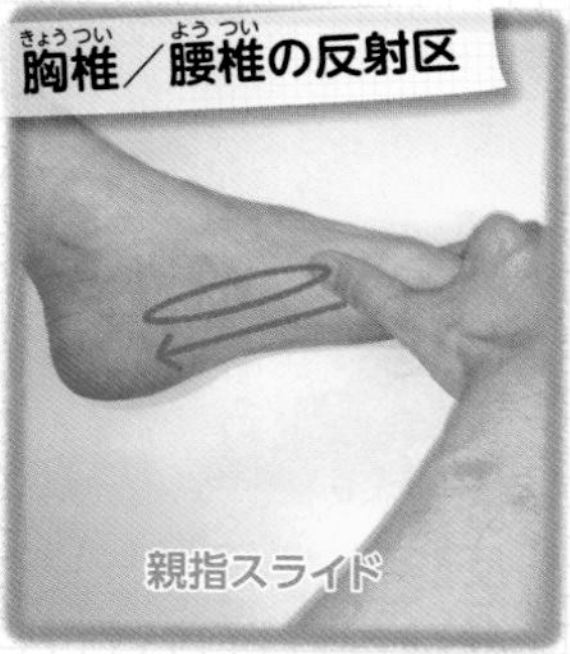

足の内側の側面を、親指をすべらせながら刺激する。

ツボ32・大谿《たいけい》

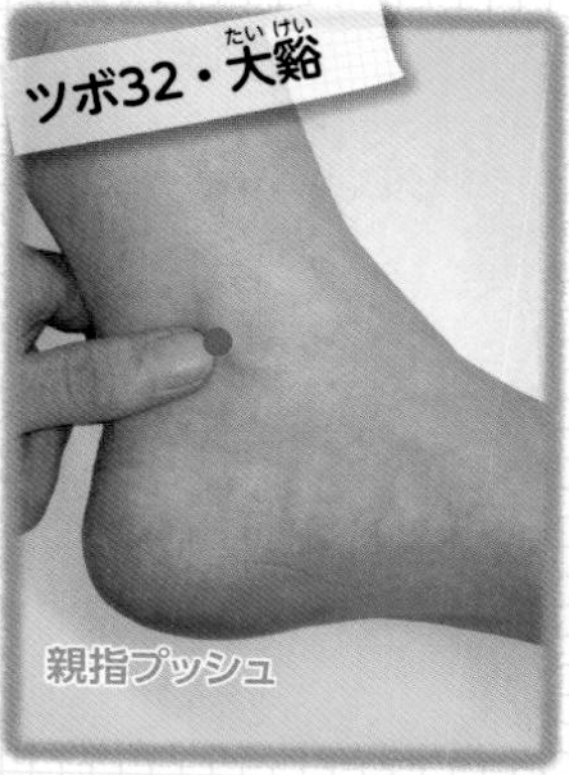

腎臓疾患に効く。内くるぶしの後ろ際とアキレス腱の間の凹んだところに親指で３秒間の安定圧をかける。

スネでむくみをチェック

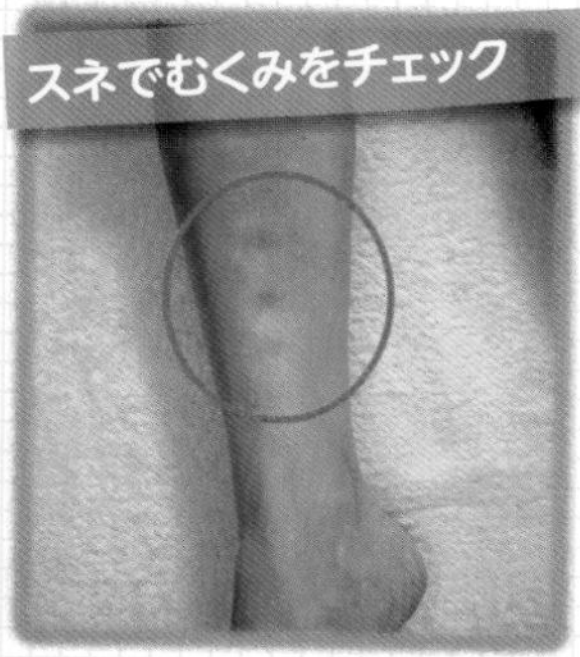

スネの骨の上の皮膚は薄く、皮下の筋肉と脂肪も少ないので、老廃物がたまるとすぐにわかる。定期的に指で10秒押してみて、むくみをチェックするのに便利。

27 胃炎

しこりの位置で、おおよその原因がわかる

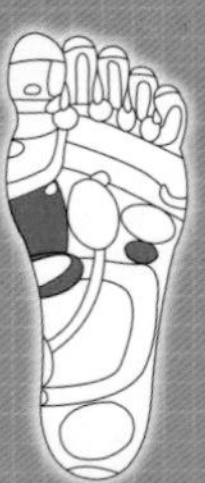

脂っこいものや、消化の悪いものを食べすぎると、たとえ健康な人でも胸焼けや胃もたれを起こします。社会人としてのお付き合いで仕方なく胃に負担をかけてしまうこともあるでしょう。

胃炎には大きく分けて「急性胃炎」と「慢性胃炎」の2種類があります。一般的な胃炎はほとんどが急性胃炎ですが、いつも胃の調子がおかしい場合は慢性胃炎です。足もみでの改善といっしょに、食生活やストレスの原因などを振り返って、生活を改めましょう。

胃の反射区をもむ際、**左足にしこりがある場合は、暴飲暴食が主な原因**と考えられます。反対に**右足の反射区にしこりがある場合は、ストレスによる胃炎。**いずれのしこりももむと痛みますが、しっかりもみほぐしましょう。

胃／十二指腸の反射区

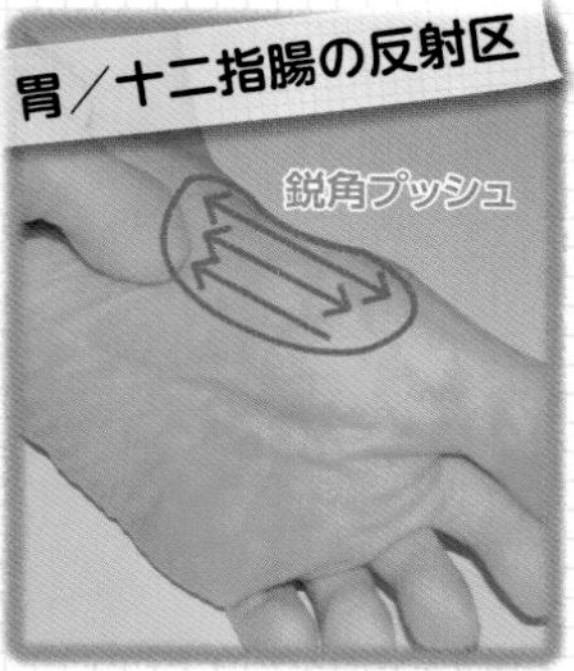

胃の反射区と十二指腸の反射区は隣接している。鋭角プッシュで反射区全体をしごき、ブチブチした老廃物をつぶしていく。

胸椎《きょうつい》の反射区

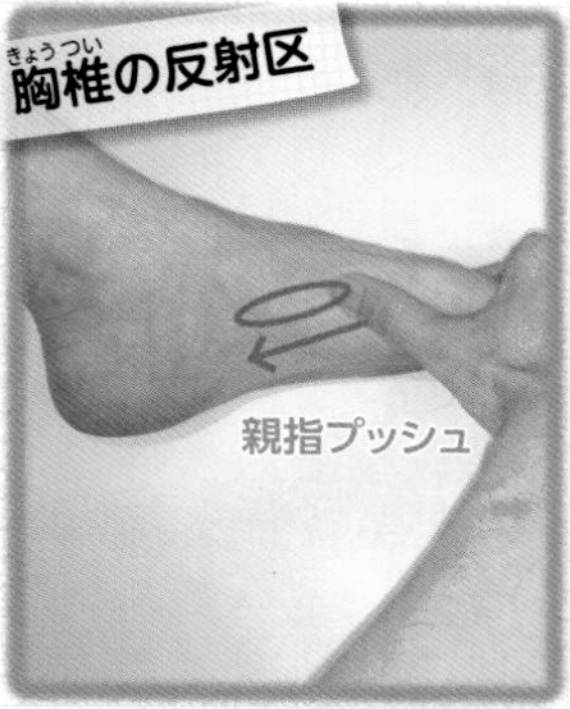

骨の際に親指をねじりこませるようにして圧をかけ、そのままの圧を維持してすべらせる。

脾臓《ひぞう》の反射区

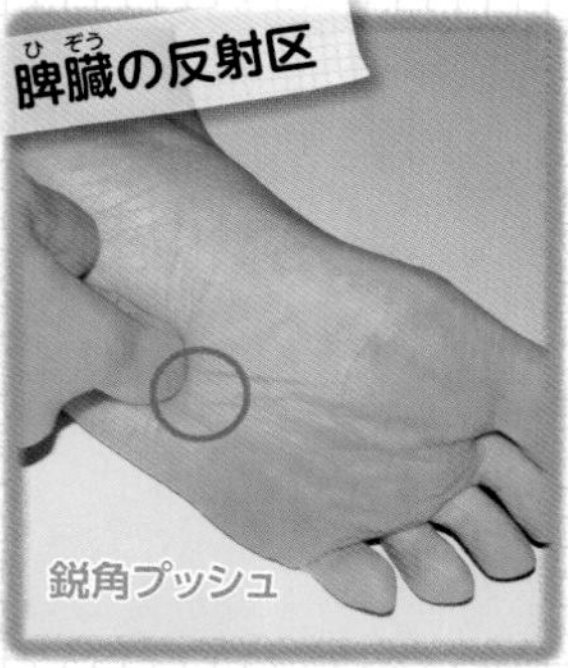

左足裏の中央より、やや右側にある。イタ気持ちいい安定圧を3秒間かける。

ツボ42・足三里《あしさんり》

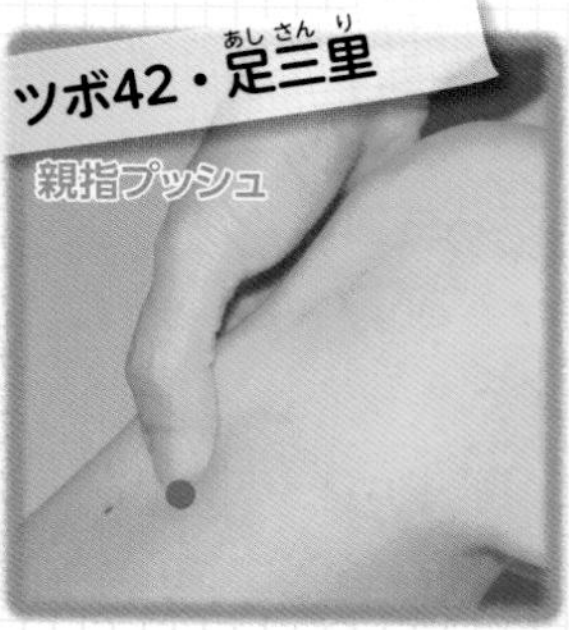

足の外側にある、胃のトラブルによく効くツボ。しっかり押せばゲップがでてすぐに爽快《そうかい》になる。

28 バセドウ病

2カ月でホルモン分泌量が正常値になった実績あり

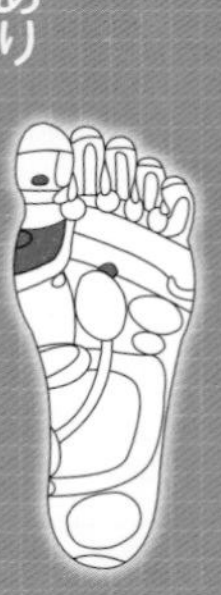

バセドウ病は、甲状腺《こうじょうせん》の病気です。甲状腺からは新陳代謝を活発にするホルモンが分泌されており、バセドウ病に罹患《りかん》すると、このホルモンが過剰に分泌され、新陳代謝が活発になりすぎてしまうのです。

主な症状は動悸《どうき》、息切れ、イライラ、甲状腺の腫《は》れ、食べてもやせる、異常に汗をかくなどで、進行すると眼球がとびだしてくるという特徴的な症状が、顕著《けんちょ》になってきます。適切な医学療法が必須の難病ですが、医師の治療や投薬と並行して「足健道」の足もみを行うと、ホルモンの分泌量を正常値に戻すまでの時間が早まります。

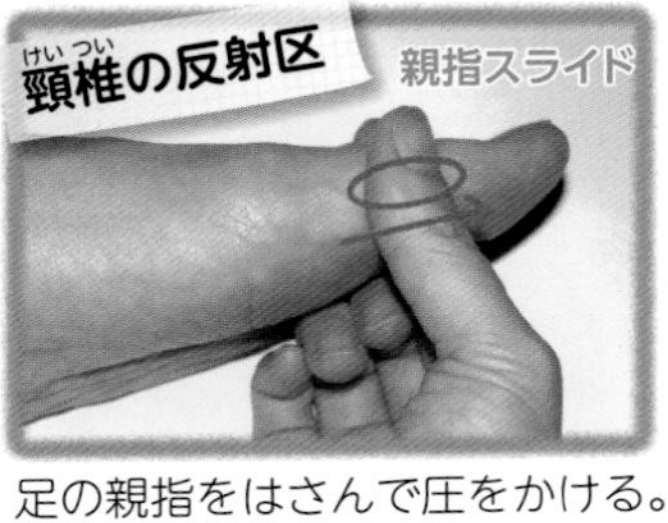

足の親指をはさんで圧をかける。チューブのクリームをしぼりだすようにつま先の方向へすべらせる。

脳《のう》下《か》垂《すい》体《たい》の反射区

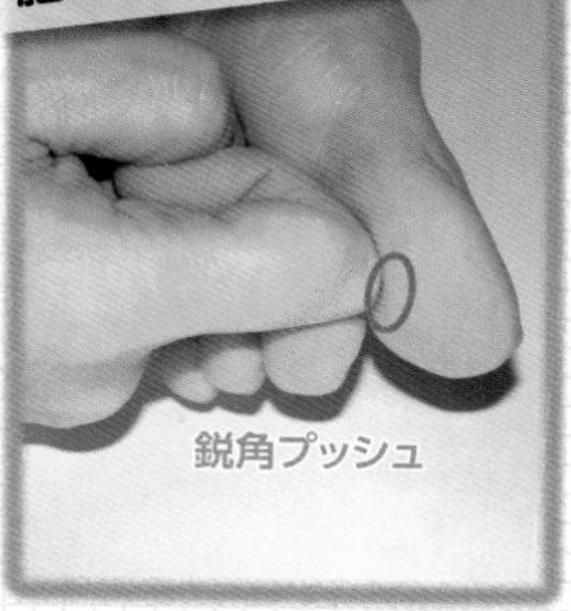

親指の腹の中心に3秒間の安定圧をかける。ピリッとした痛みを感じればしっかり刺激が入っている。

副《ふく》腎《じん》の反射区

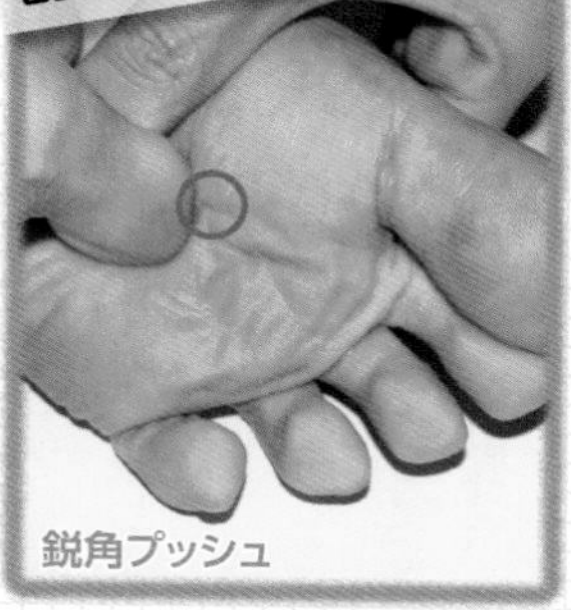

足裏の中央より3センチほど上部にある。指先方向へ突き上げるように3秒間の安定圧をかける。

副《ふく》甲《こう》状《じょう》腺《せん》の反射区

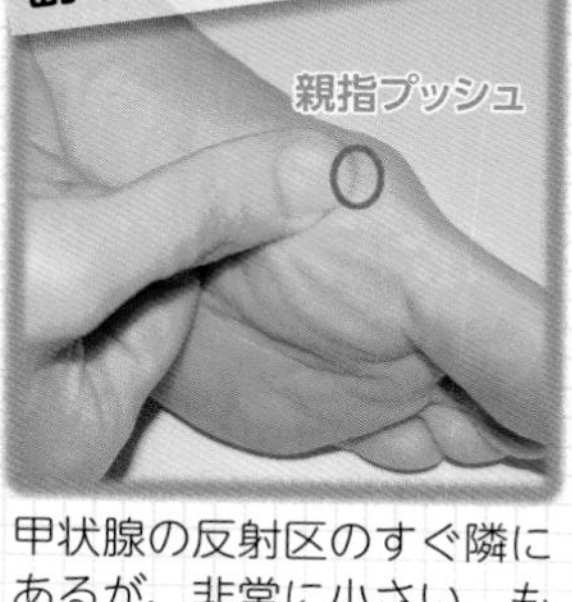

甲状腺の反射区のすぐ隣にあるが、非常に小さい。もみこんだあとに、3秒間の安定圧をしっかりとかける。

甲《こう》状《じょう》腺《せん》の反射区

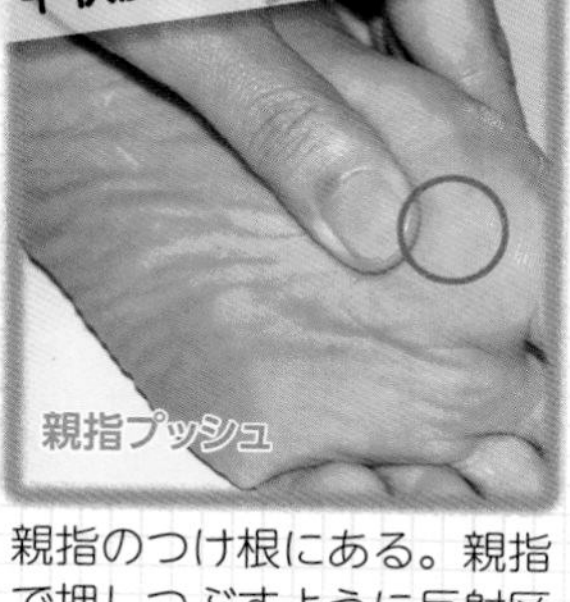

親指のつけ根にある。親指で押しつぶすように反射区全体をもみほぐす。

29 更年期障害・老化予防

ホルモンバランスを整え、いつまでも若々しく

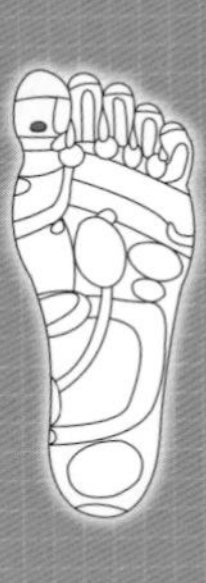

更年期障害《こうねんきしょうがい》は40代以降、加齢とともに訪れるホルモンバランスの乱れによって引き起こされる不快な症状です。一般に女性の更年期障害がよく知られていますが、女性だけでなく、男性にも起こります。

ホルモン分泌の司令塔である脳下垂体は、卵巣や睾丸、子宮、前立腺などへホルモンを分泌するよう指示しますが、老化した各臓器がこの指示に対処できないと、更年期障害の症状（動悸《どうき》、めまい、のぼせ、イライラなど）がでてきます。

更年期障害は、なにもしなくても数年たてば落ち着きますが、その後一気に老けこんでしまうのがつらいところ。それを避けるためにも、**足もみの継続で長期的にホルモンのバランスを整え、若さを保ちましょう。人間の性ホルモンは完全に分泌されなくなることはありません。足もみで促すことができるのです。**

子宮・前立腺《ぜんりつせん》の反射区

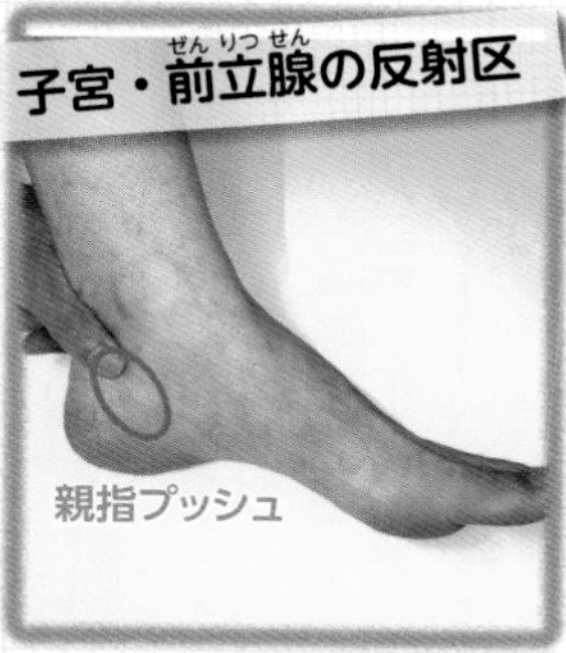

内くるぶしの下にある。反射区全体を親指でなぞり、痛みを感じる箇所に3秒間の安定圧をかける。

脳下垂体《のうかすいたい》の反射区

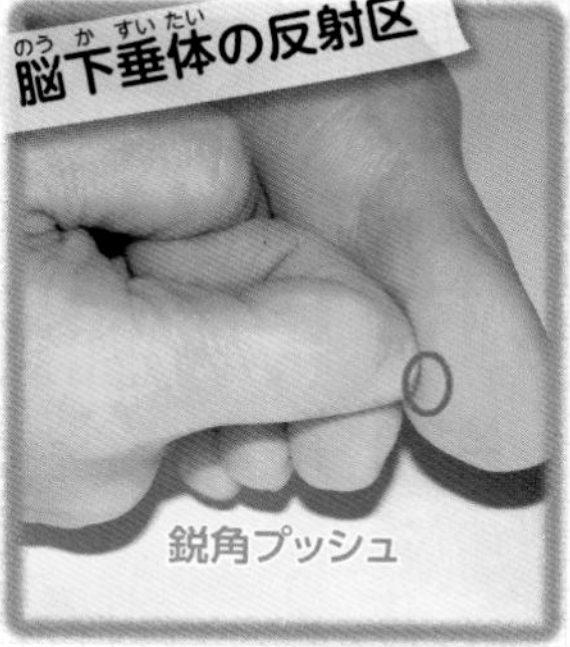

手で足の親指が動かないようにしっかりささえて、足の親指の腹の中心に3秒間の安定圧をかける。

ツボ33・三陰交《さんいんこう》

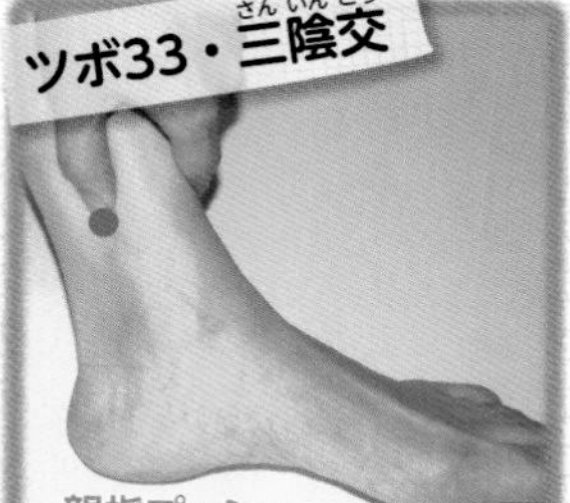

ホルモンバランスを整えるツボで、内くるぶしから指幅4本分ほど上の骨の際にある。3秒間の安定圧をかける。

卵巣《らんそう》・睾丸《こうがん》の反射区

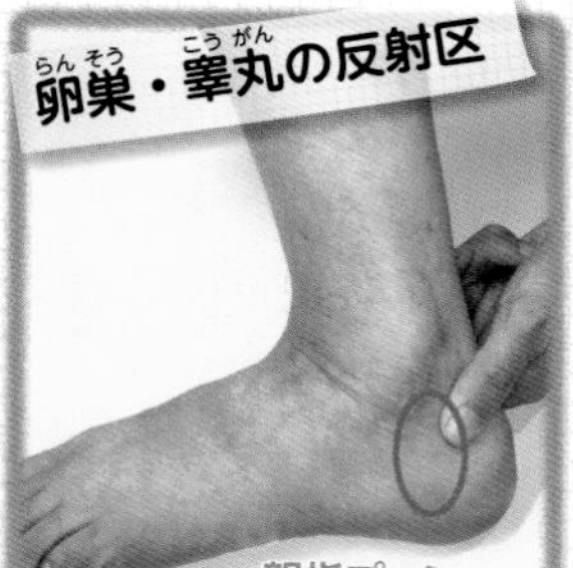

外側のくるぶしのすぐ後ろにある反射区。痛みのある場所に3秒間の安定圧をかける。

30 認知症

脳を活性化してパワフルに老後をとことん楽しむ！

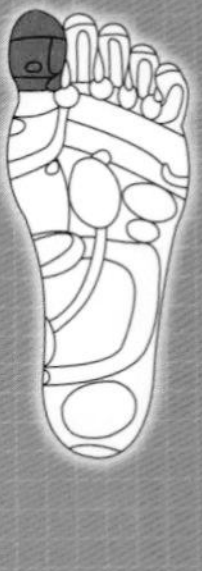

認知症は、たんなる老化現象とも、物忘れとも違います。脳が萎縮《いしゅく》してしまうのが最大の特徴で、この萎縮が進むほど、完治は難しくなるようです。

ただ、近年になってだいぶ認知症の研究が進み、食生活や運動、読書やコミュニケーションを充分に楽しむことで、認知症になる確率はかなり低下することがはっきりしています。

また、**大脳、小脳の反射区を中心に足もみを行うと、脳の活性化を大いに助けます。**毎日刺激して、楽しい老後をすごす準備を整えておきましょう。

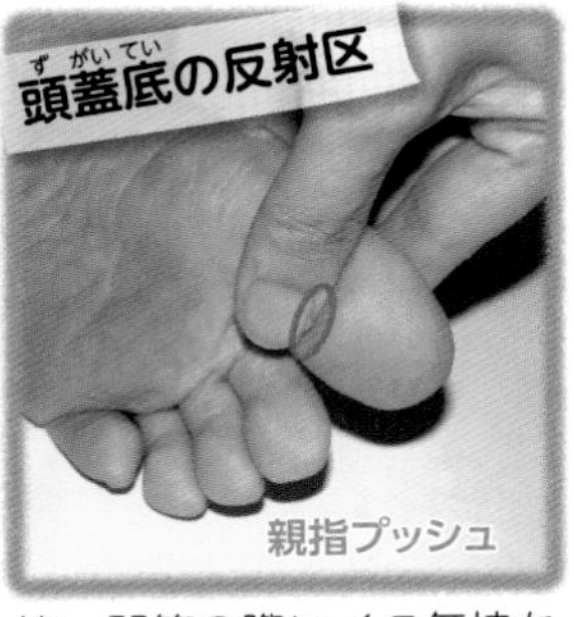

第一関節の際にイタ気持ちいいところまで圧を加え、そのまま３秒間の安定圧をかける。

小脳の反射区

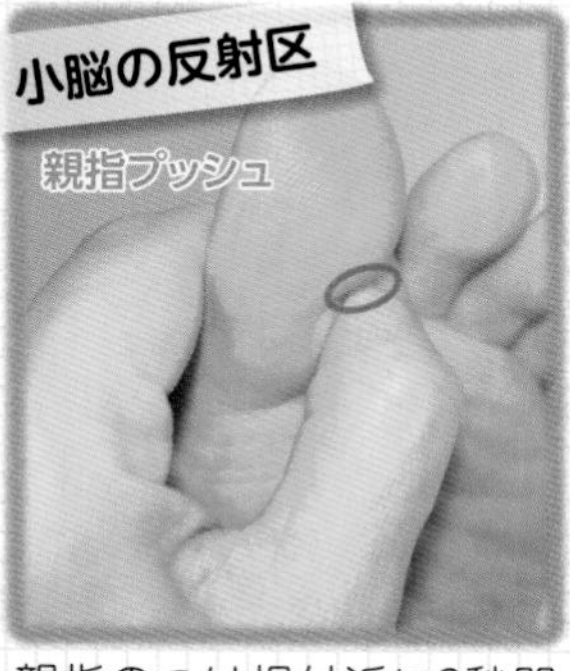

親指のつけ根付近に3秒間の安定圧をかける。そのまま親指をつけ根からぐるぐる回すと、頭部の血流もよくなる。

大脳の反射区

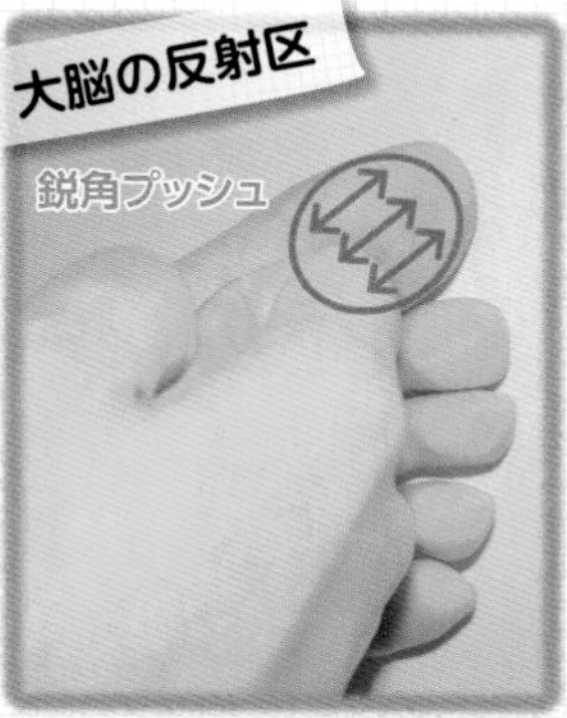

親指の腹全体をしごき、しこりがあった場合はそれを押しつぶすように3秒間の安定圧をかける。

脳《のう》下《か》垂《すい》体《たい》の反射区

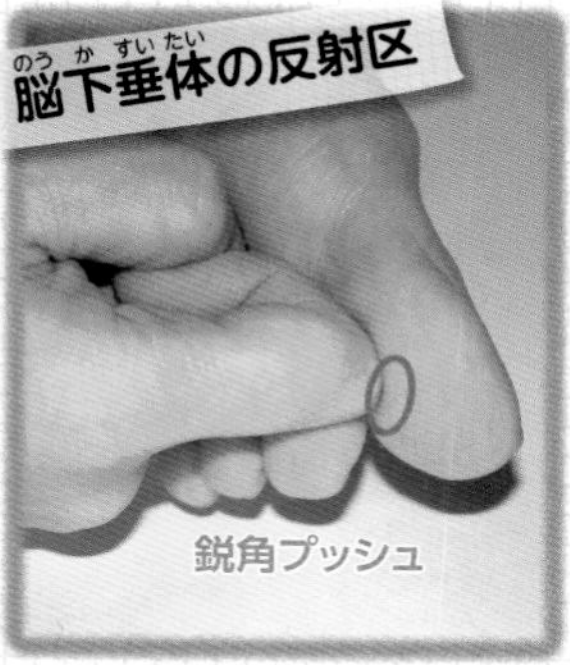

親指の腹の中心に3秒間の安定圧をかける。ピリッとした痛みを感じるまで行う。

三《さん》叉《さ》神《しん》経《けい》の反射区

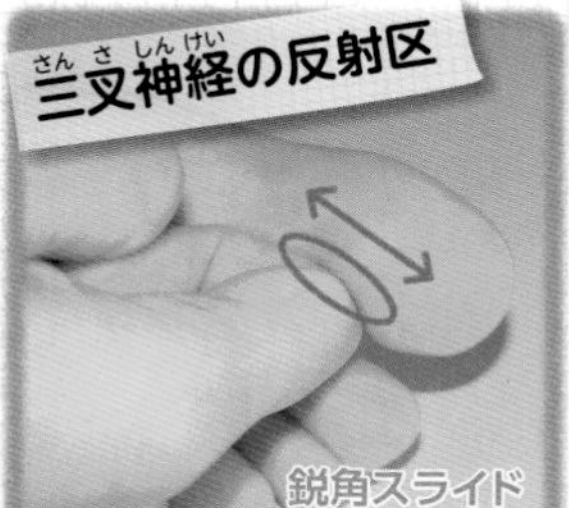

認知症に効く。足の親指を手でしっかり固定して、鋭角でしごいて刺激を与える。ピリピリとした痛みを伴うのが特徴。

31 ストレス
気持ちがカラッと晴れて感情コントロールにも有効

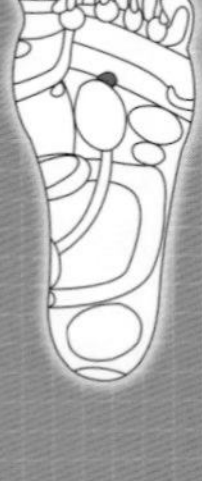

嫌なことやストレスが蓄積すれば、誰でも心がモヤモヤしたり、イライラしたり、不安に襲われたりするものです。この状態が長く続くと、神経症、ノイローゼとなります。ただし更年期障害などでホルモンバランスが崩れたり、うつ病や自律神経失調症になったりしてもこのような症状があらわれますので、2カ月以上、つらい症状が続く場合は、病院での検査をおすすめします。

モヤモヤした感情、イライラした感情を上手に切り替えられない人は、ぜひ、足もみの力を頼ってみてください。その場合、もむポイントは特に考えなくてもOKです。心と身体はつながっていますので、足裏全体を手で軽くなでるだけでも不思議と気分が晴れていきます。しばらく脂っこいものやお酒をひかえて肝臓をいたわりつつ、次ページの箇所も、いっしょにもんでみましょう。

ツボ13・太衝《たいしょう》

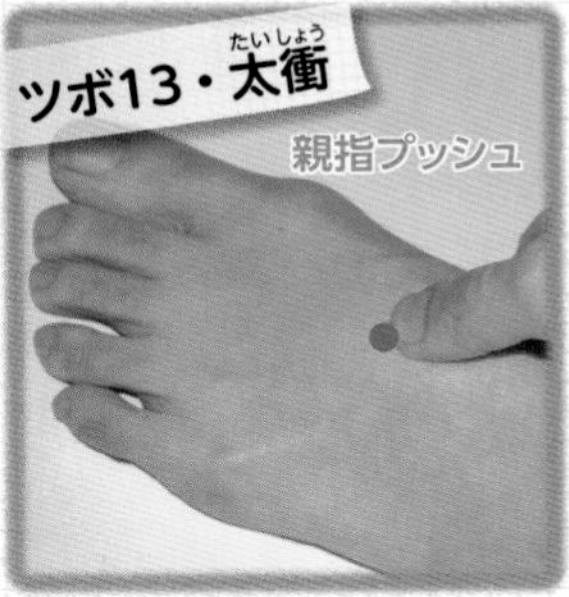

肝臓のツボだが、怒りを抑える効果があると考えられている。親指を埋めこむようにして３秒間の安定圧をかける。

副腎《ふくじん》の反射区

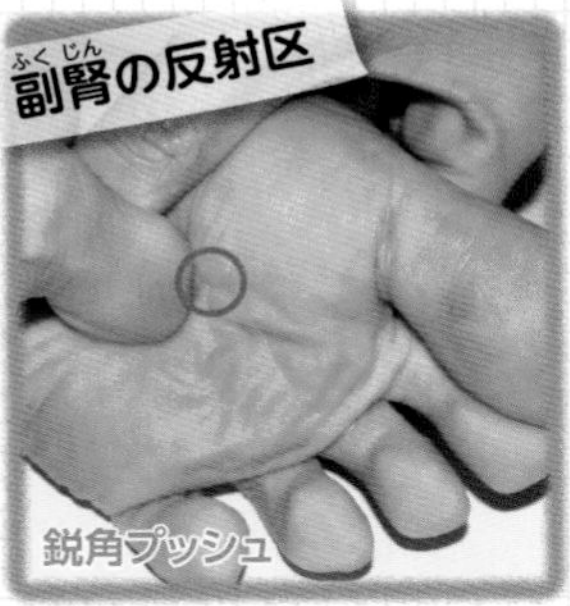

足裏の中央より3～5センチほど上部にある（個人差がある）。指先方向へ突き上げるように3秒間の安定圧をかける。

ツボ12・行間《こうかん》

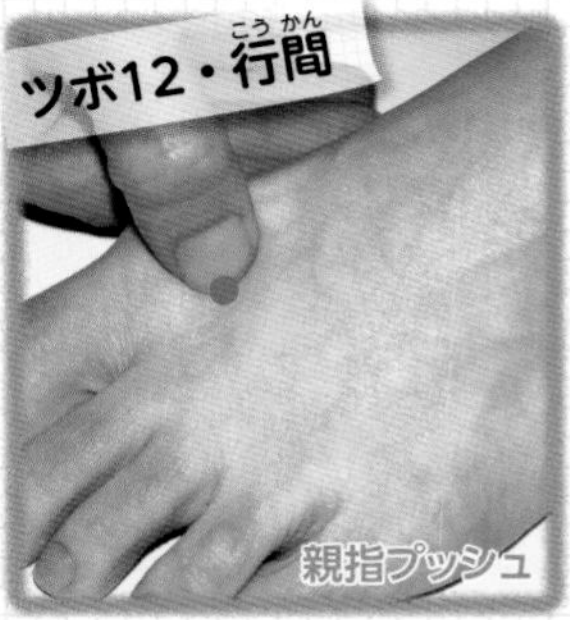

親指と人差し指の間、やや親指側にあり、気持ちを静める効果がある。骨を圧迫するように3秒間の安定圧をかける。

ツボ5・隠白《いんぱく》

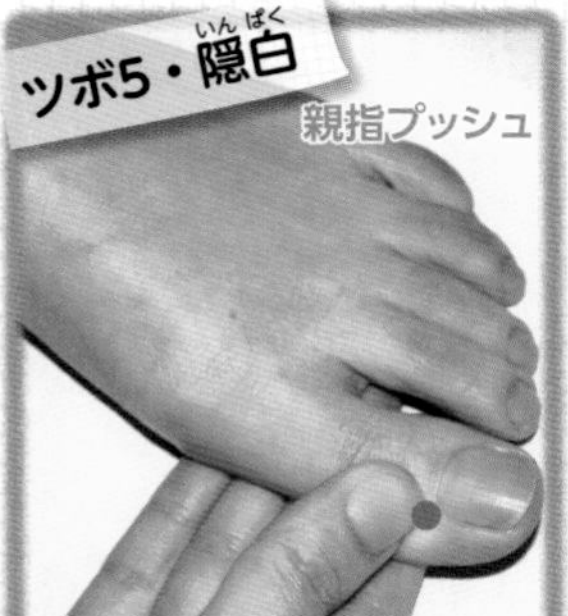

親指の爪のつけ根にあり、ノイローゼや精神不安に効果がある。3秒間の安定圧をかける。

Chapter 5

治る可能性はゼロではない！

難病にも効果がでた「足もみ」の極意

難病とは、本当に治らないのでしょうか？

現代医療が匙《さじ》を投げた病気は、あきらめるしかないのでしょうか？

そんなことはありません！

本章では、病の恐怖と闘う皆さんに勇気を与え、奇跡が起きるわずかな確率を何倍にも高める可能性がある、とっておきのツボと反射区を紹介していきます。

1日3回、「基本のコース」のあとにじっくりもんでください。

32 膠原病（リウマチ・ベーチェット病）

免疫機能の正常化を目指すのがポイント

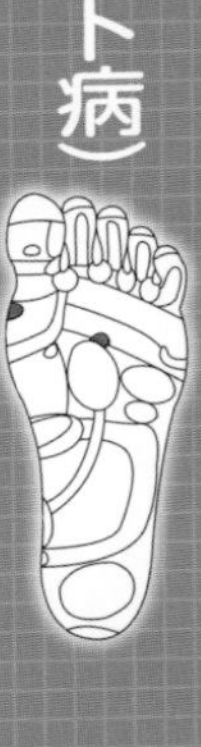

膠原病《こうげんびょう》とは、1つの症状を指す病名ではありません。免疫システムが正常に働かなくなった結果、身体のいろいろな部分で発生する炎症を総称して、膠原病と呼んでいます。リウマチもベーチェット病も、膠原病の一種です。

「足健道」の足もみは、膠原病の症状の軽減に効果があります。ポイントは、炎症を緩和するツボを刺激すると同時に、腎臓や膀胱などの排泄機能を活性化させることです。次ページのツボと反射区をもむ前に「基本のコース」（56ページ参照）をしっかりもんでおきましょう。

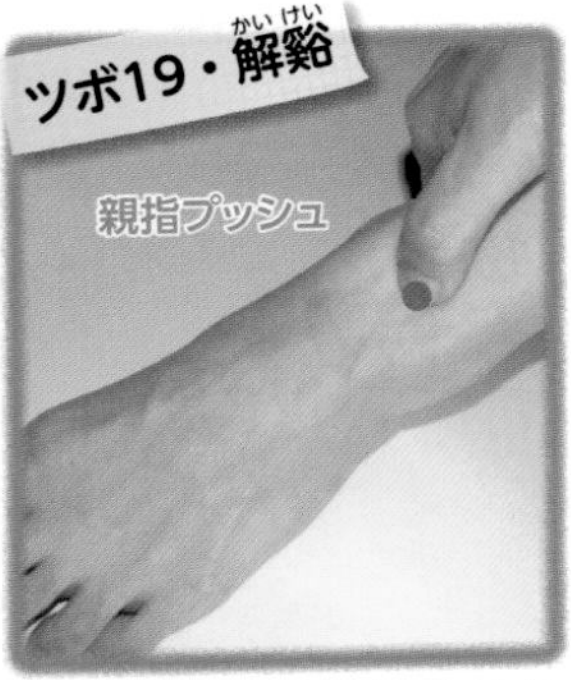

足の甲の根元付近にあるツボで、関節炎に効果がある。3秒間の安定圧をかける。

ツボ15・商丘《しょうきゅう》

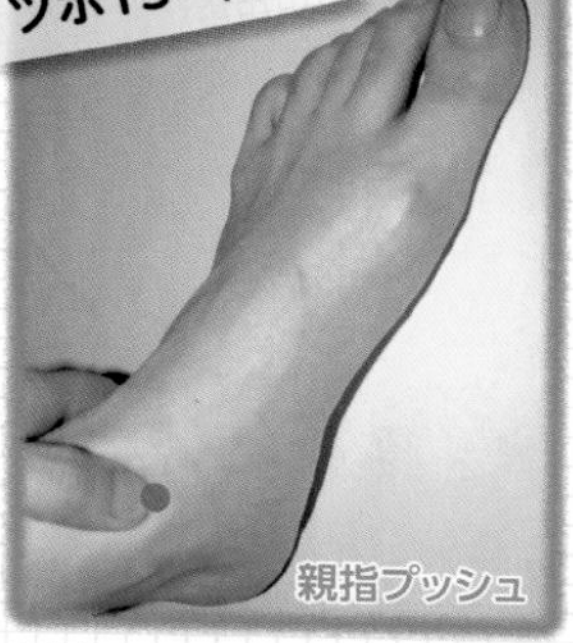

リウマチに効果がある。内くるぶしに沿って前側の凹んだところに親指で３秒間の安定圧をかける。

副腎《ふくじん》の反射区

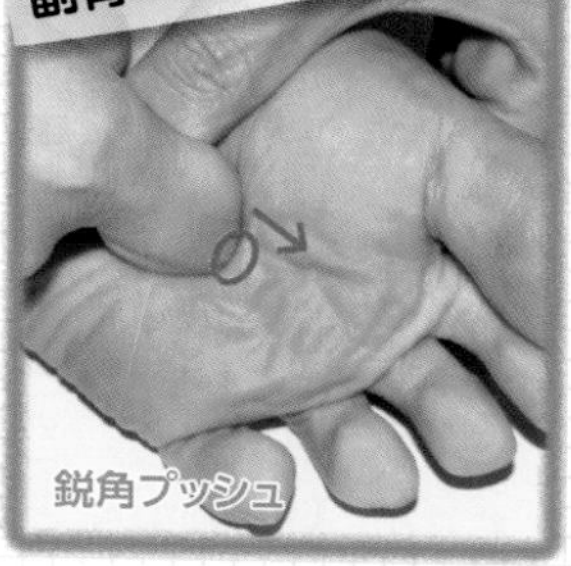

人差し指と中指の骨の間に鋭角部分をくいこませ、足の指の方向に突き上げるようにして3秒間の安定圧をかける。

ツボ30・水泉《すいせん》

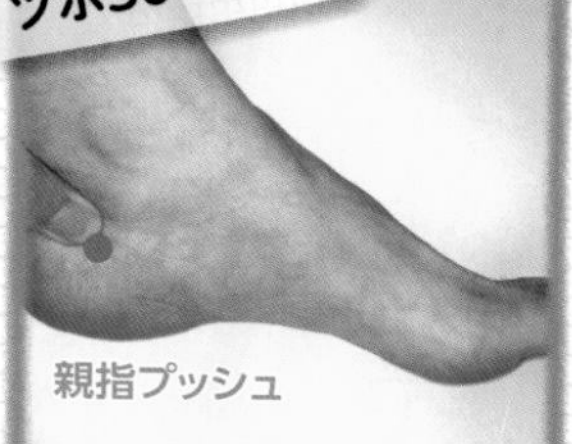

排尿障害に効果がある。内くるぶしの斜め下、かかとの凹んだところに親指で3秒間の安定圧をかける。

副甲状腺《ふくこうじょうせん》の反射区

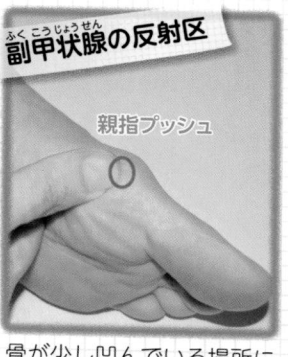

骨が少し凹んでいる場所に、親指を埋めこむようにして3秒間の安定圧をかける。

33 初期がん
免疫機能の活性化で予防と再発防止がダブルで可能

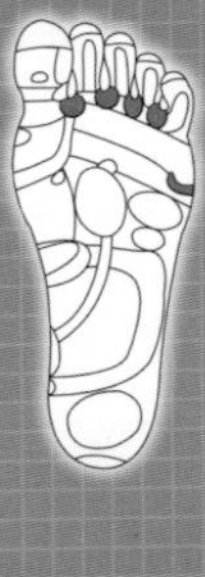

人間の体内では、毎日、数百～数千個ものがん細胞が自然発生していますが、リンパ球に代表される免疫機能が、それを日々とりのぞいています。つまり、免疫機能を常に正常に活性化させておけば、とても有効な予防策になると同時に、進行や転移、再発をくいとめることも可能となるのです。「足健道」でも初期がんの完治例がいくつもありますが、それよりも目立つのは「再発防止」の事例です。がんは再発率が高いのですが、「足健道」で熱心に足をもむ方たちの再発率は、現在まで0％です。初期がんは不治の病ではなくなりつつあります。可能であれば**すべてのツボと反射区を時間が許す限りもんで完治をめざしましょう。**

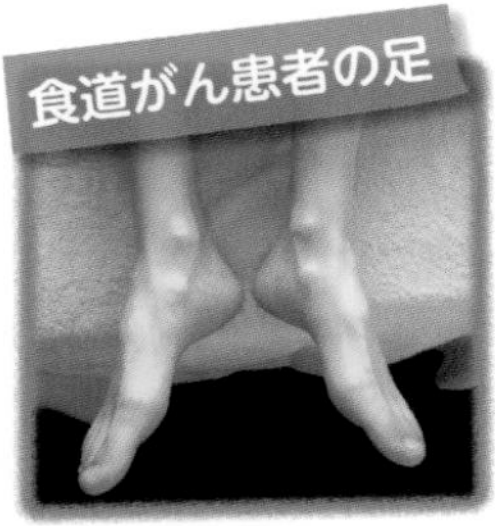

がん患者の足は総じて血の気がなく白くなる。

脇窩《えきか》リンパ腺の反射区

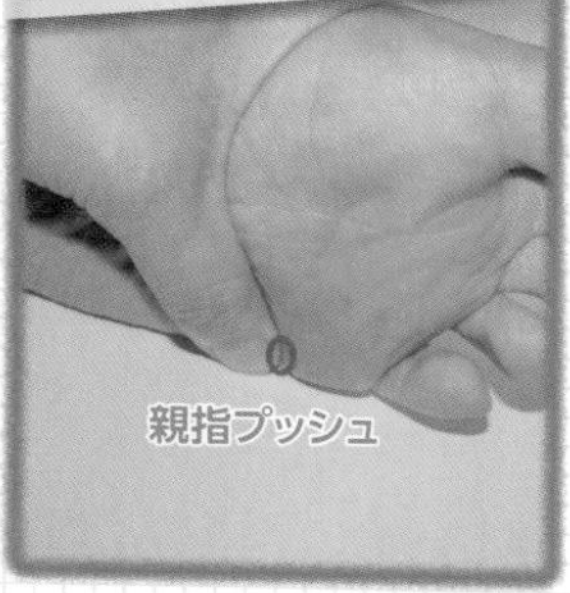

小指の下にある小さな反射区。親指で3秒間の安定圧をかける。

鼠径部《そけいぶ》リンパ腺の反射区

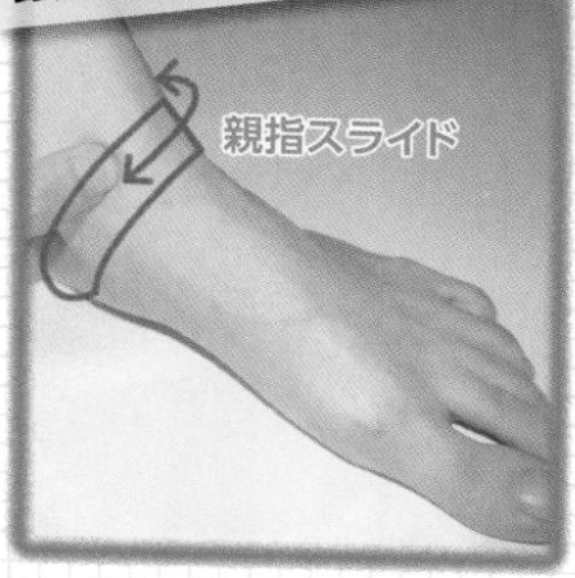

内くるぶしから外くるぶしを結ぶラインを、痛みを感じない程度の強さで刺激する。

上部リンパ腺《せん》の反射区

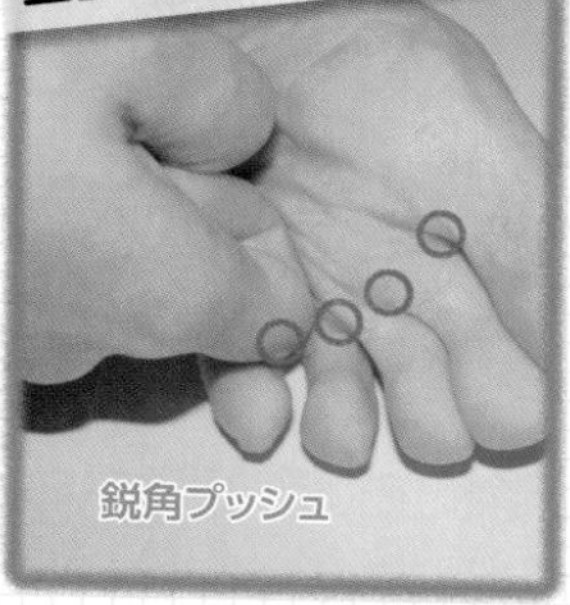

足指の間のつけ根には、上部リンパ腺（頭・あご）の反射区がある。それぞれ3秒間の安定圧をかける。

胸部リンパ腺の反射区

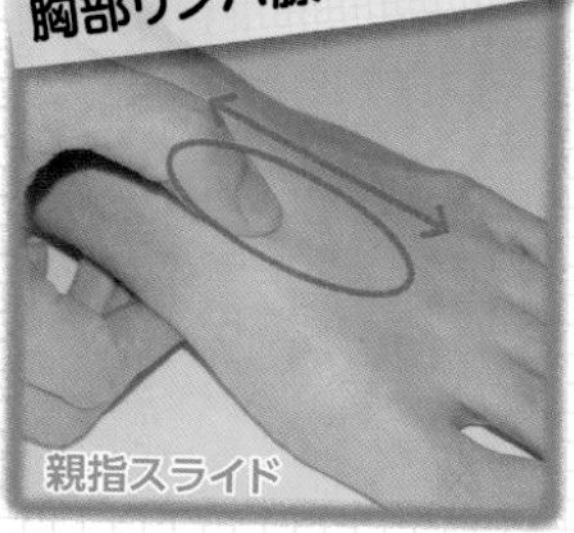

足の親指の骨と人差し指の骨の間を刺激する。骨の際をこするようにして刺激するとよい。

34 末期がん

身体だけでなく、心のケアにもなります

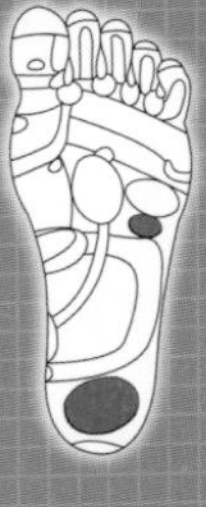

「末期がん」とは、治療の方法がほぼなくなった状態をいいます。末期がんの病状告知は事前に親族と相談する医師も多く、患者本人には知らされないことも多いようです。

私は以前、末期がんを告知された患者さんを施術した時に、**「夜は身体中が痛くて冷たくてまったく眠れないけれど、足をもんでもらうと緑色の吐《と》しゃ物《ぶつ》がでて、その後は数時間眠れるんだよ」**と、嬉しそうにお話ししていただいたことがあります。誰かに手を握りしめてもらうだけでも、心は安らぎます。悲しみが吹き飛んで安心できた経験が、皆さんにもあるのではないでしょうか?

人の手には人を癒す力があります。末期がんを宣告された人たちの不安や緊張、身体の痛みを、「足もみ」で解消してあげてください。

脾臓《ひぞう》の反射区

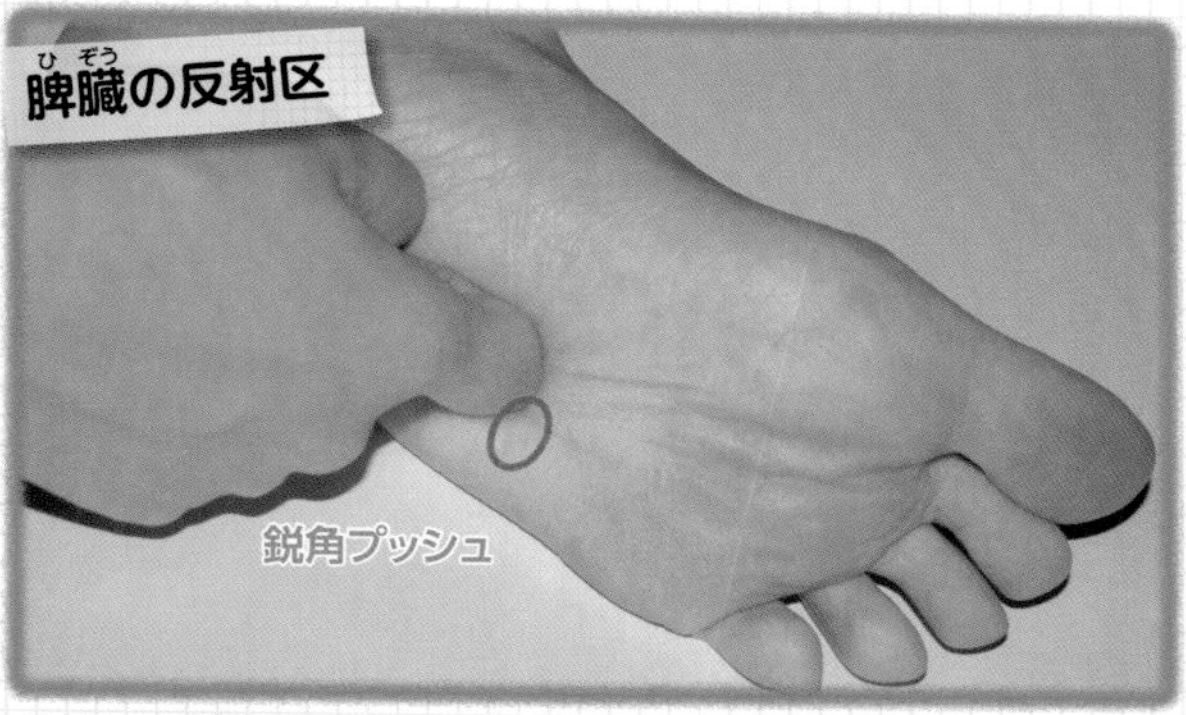

心臓の反射区と同じく、左足裏だけにある反射区。3秒間の安定圧をかける。前項の「初期がん」の足もみにプラスすると、より効果がある。

生殖腺の反射区

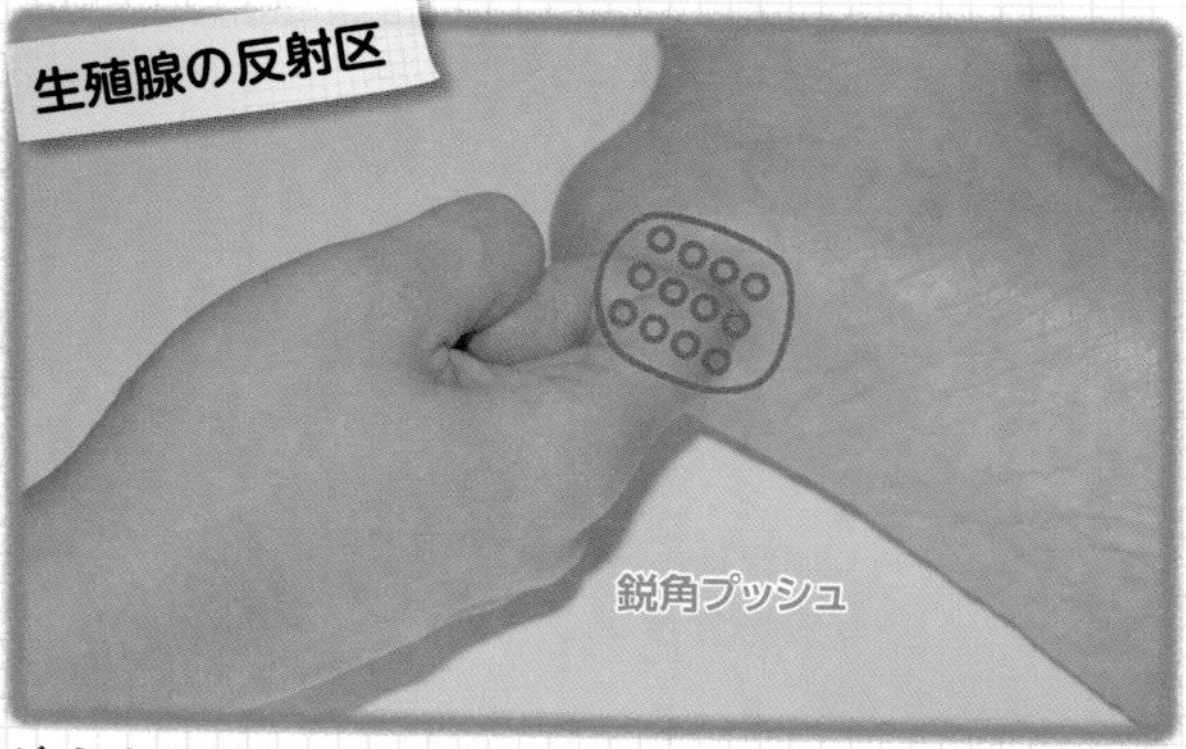

冷えをとるのに効果的。3秒間の安定圧を反射区全体に細かく入れていく。前項「初期がん」の足もみにプラスすると、より効果がある。

35 脳梗塞

後遺症のマヒも足もみの継続で改善する

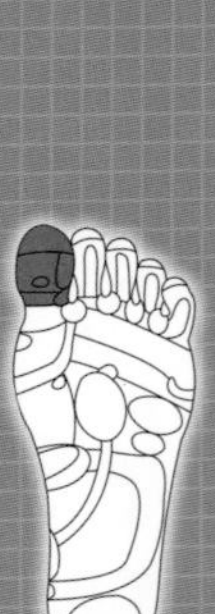

脳梗塞《のうこうそく》は、脳内の血管がつまった結果、酸素不足や栄養不足で脳の細胞が壊れてしまう病気です。原因のほとんどは動脈硬化で、高血圧や糖尿病などの病気が原因になりやすいほか、肥満や喫煙なども脳梗塞の遠因となります。

脳梗塞が起こる前兆として、「ろれつが回らない」「激しいめまいがする」「一時的に記憶がなくなる」などの症状があらわれます。早期発見できた脳梗塞は後遺症が残らない場合が多いのですが、ほとんどは運動障害、言語障害、視力障害などの後遺症が残ります。

「足健道」では、重篤《じゅうとく》な脳梗塞の後遺症を改善した事例があります。右半身が完全にマヒしてしまった方に数回の施術を行ったあと、まったく動かなかった右手が少しずつ動くようになりました。現在では自力歩行ができるまでに回復しています。

大脳の反射区

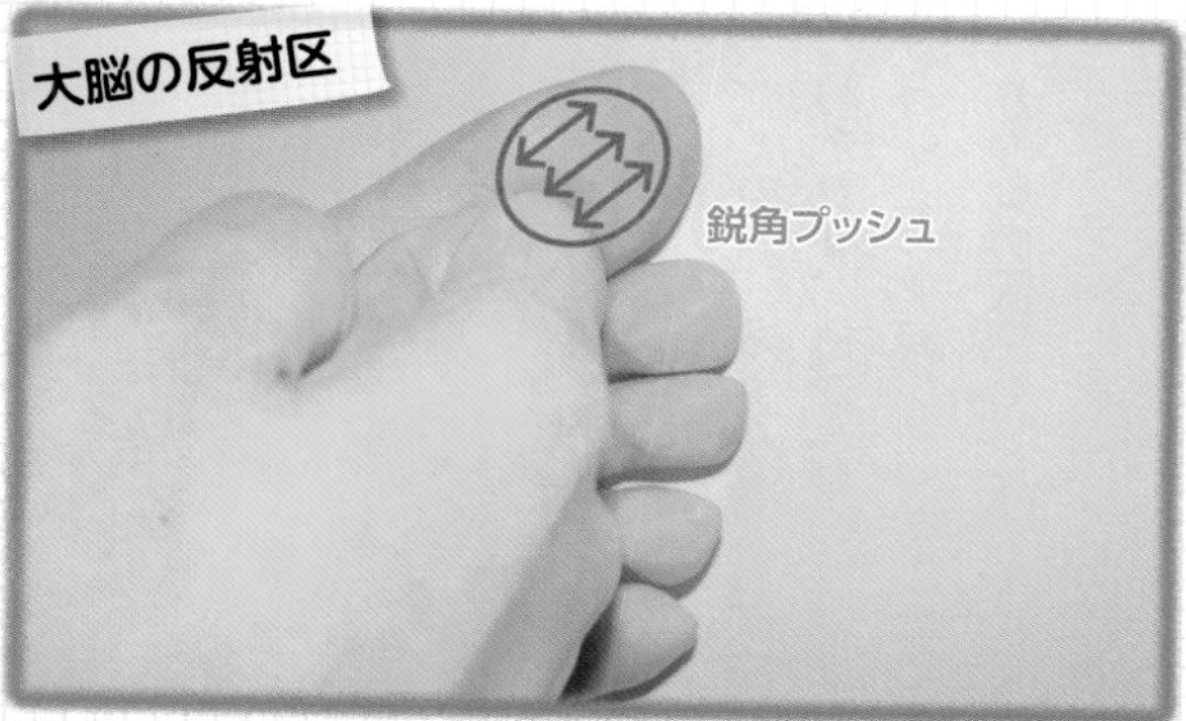

親指には脳に効く反射区が密集している。親指全体を鋭角でしごき、痛いところやブチブチした老廃物を探して3秒間の安定圧をかける。

ツボ43・陽陵泉《ようりょうせん》

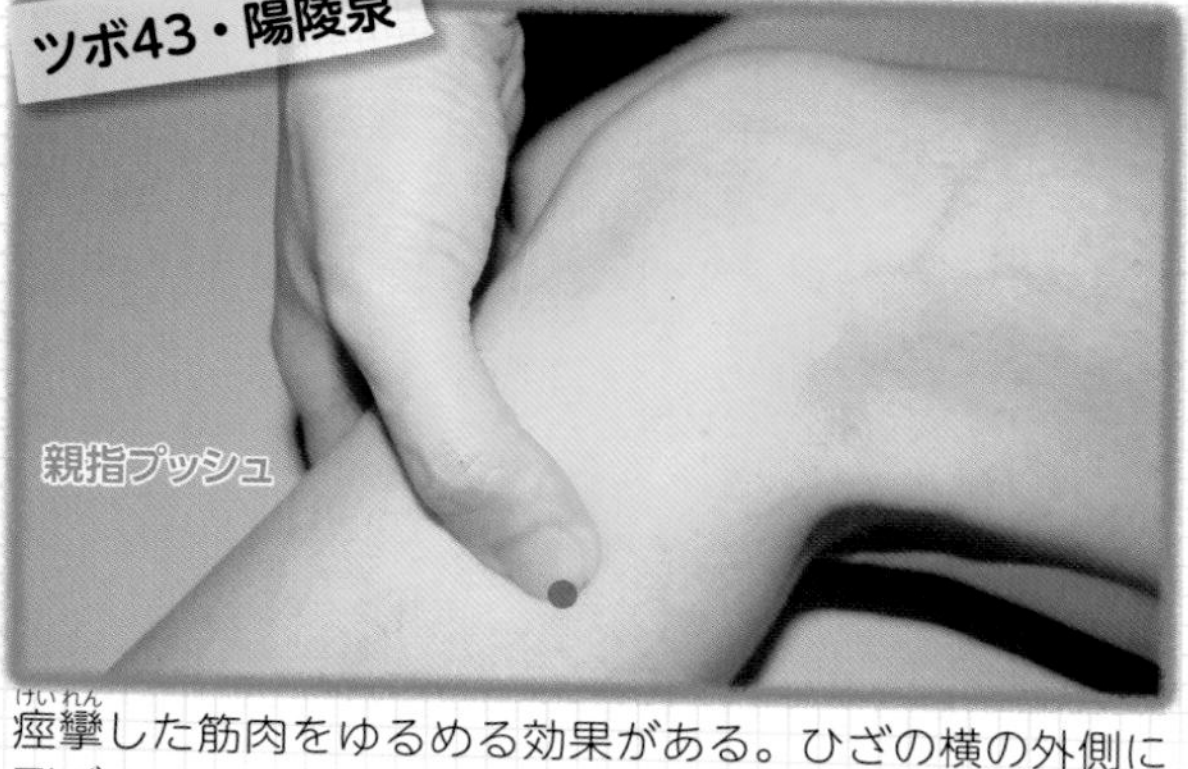

痙攣《けいれん》した筋肉をゆるめる効果がある。ひざの横の外側に飛びでている骨から2センチほど下がった場所に、3秒間の安定圧をかける。

36 脳腫瘍
家族の手助けが奇跡を起こす

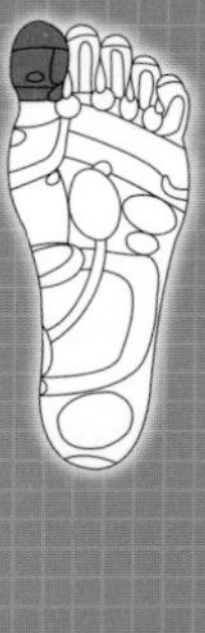

　脳腫瘍とは、頭《ず》蓋《がい》内にできる腫瘍の総称です。手術で摘出するか、レーザーで焼き切るという処置が一般的ですが、脳にダメージをいっさい与えずに施術することは難しく、ほとんどの場合、なんらかの後遺症が残るようです。

　私は、「足もみ」で脳腫瘍の後遺症を劇的に回復させた事例を、目の当たりにしています。手術の後遺症で左半身がマヒしてしまい、車椅子生活となり、腫瘍をとりきれず、抗がん剤の服用を続けていた方がいましたが、身体が不自由な本人のかわりに、家族が愛情をこめて足をもみ続けた結果、腫瘍の肥大化がストップして抗がん剤の服用をしなくてよくなったという事例です。

　足もみを丹念に行うのはもちろん、**「回復してほしい！」と心をこめてもむ**ことが、とても大切だと考えさせられた事例でした。

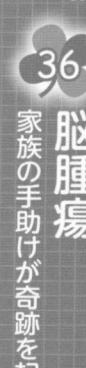

大脳の反射区

親指には大脳の反射区のほか、脳に効く反射区が密集している。親指全体を鋭角でしごき、痛いところやブチブチした老廃物を探して押しすつぶすように3秒間の安定圧をかける。

ここに注意

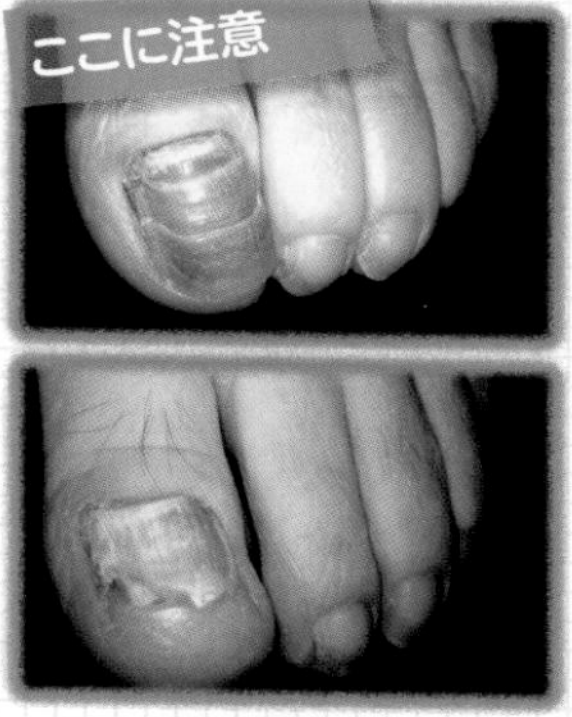

爪の生え方が極端に乱れ、指がむくんできたら脳の異常に注意。

頸椎《けいつい》の反射区

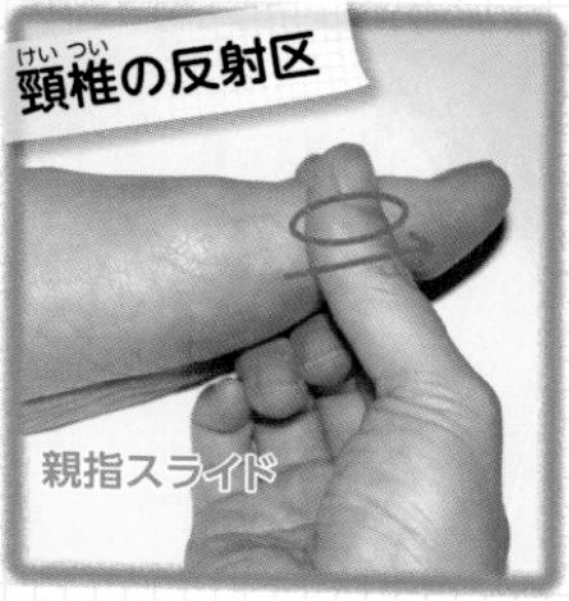

足の親指をはさみ、手の親指の腹で圧をかける。チューブのクリームをしぼり出すようにつま先の方向へすべらせる。

ツボ26・通谷《つうこく》

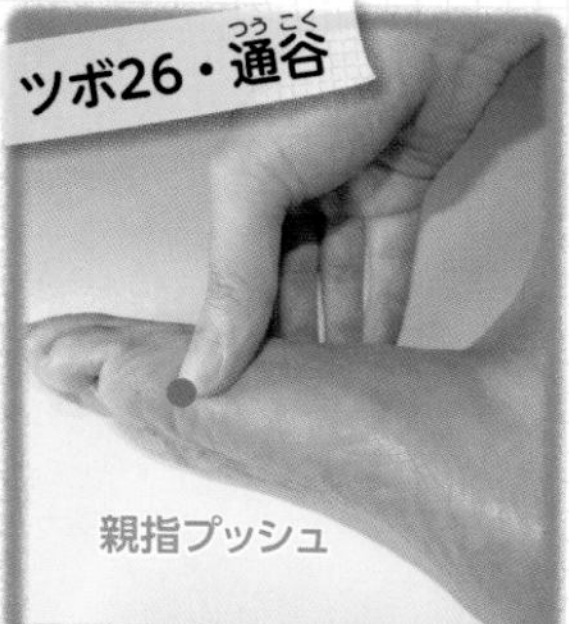

頭痛に効果があるツボ。小指のつけ根、関節部分にある凹みに、3秒間の安定圧をかける。

Chapter 6

患部を直接もまなくても大丈夫！

ケガの治りがスピードアップする「足もみ」の極意

足もみでケガの回復を早めることもできます。

例えば、腕をケガした場合でも、ケガの痛みとは無縁の足さえもむことができれば、確実に患部へと効果が伝わります。

治療の一環として足もみをとり入れることで、早い回復が期待できます。

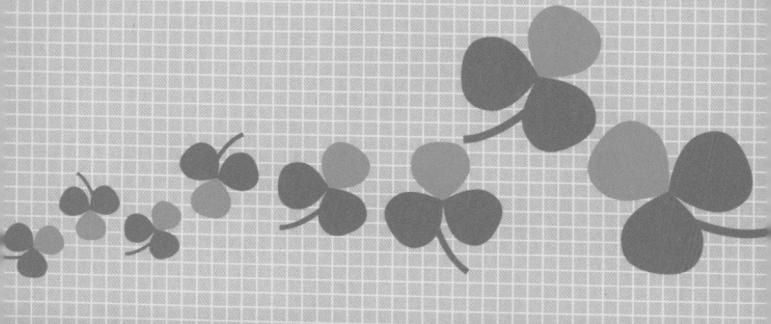

37 むち打ち症

筋のゆがみをほぐして、正しい位置に整える

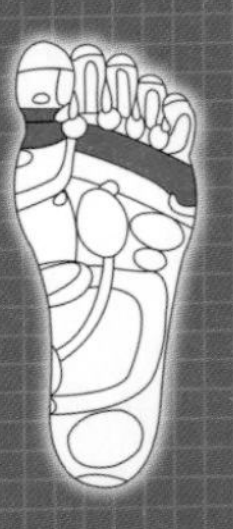

むち打ち症は、靭帯《じんたい》や筋肉がダメージを受けた時に生じる、本人にしかわからないつらい症状。やっかいなことに、レントゲン写真でもMRI検査でも発見できません。運動中に頸部《けいぶ》や肩へ強い負担がかかった場合や、自分で首を回して「コキッ」と鳴らすだけでも、むち打ち症になることが最近わかってきています。

むち打ち症は、軽い違和感程度なら自然に回復しますが、重症の場合は、肩や背中の痛み、しびれ、頭痛など、全身に様々な症状を引き起こします。素早く回復させるには、筋肉の硬直をとりのぞくこと。私自身も交通事故で重度のむち打ち症を経験しました。**足もみで、首とその周辺の反射区を充分にほぐしたところ、首を動かしたとたん「メリメリ……」という音が聞こえ、筋肉と筋のゆがみが一気に正しく戻ってすべての不調が消えた、**という経験をしています。

頭蓋底《ずがいてい》の反射区

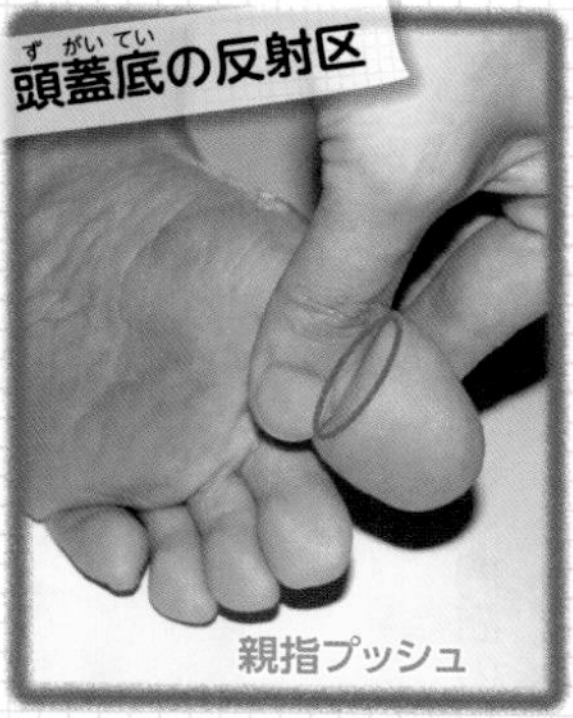

親指の腹の中央よりやや下に位置する反射区。親指で全面を押さえて3秒間の安定圧をかける。

首の反射区

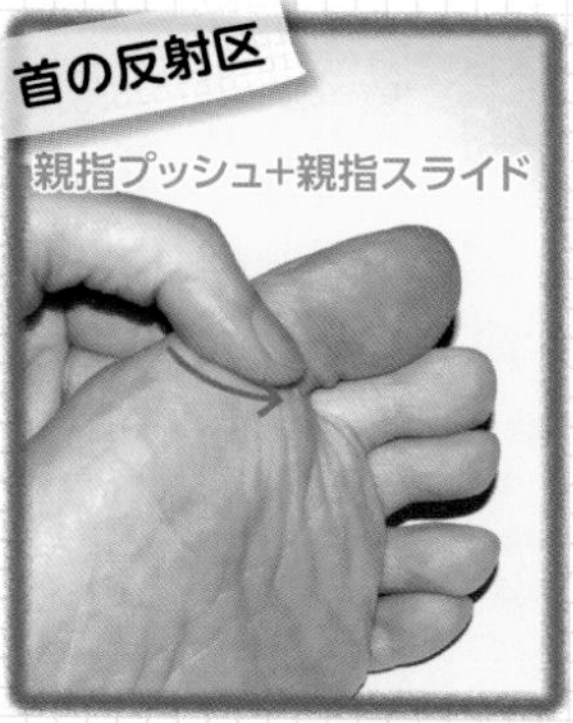

親指側面にイタ気持ちいい圧をかける。そのままの圧をかけながら親指の裏まですべらせる。

頸椎《けいつい》の反射区

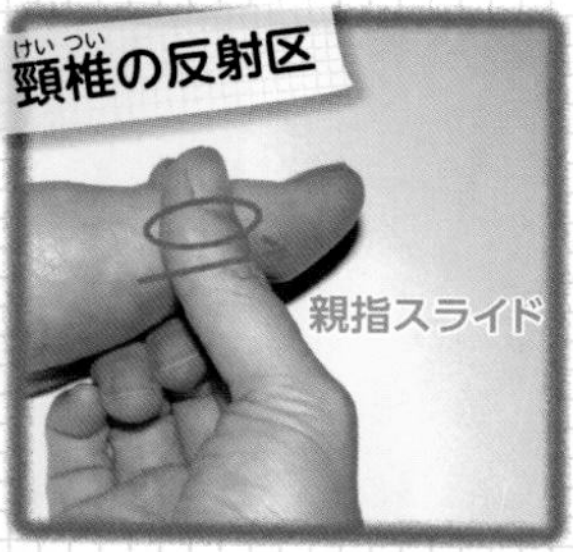

足の親指をはさみ、手の親指の腹で圧をかける。チューブのクリームをしぼりだすようにつま先の方向へすべらせる。

僧帽筋《そうぼうきん》の反射区

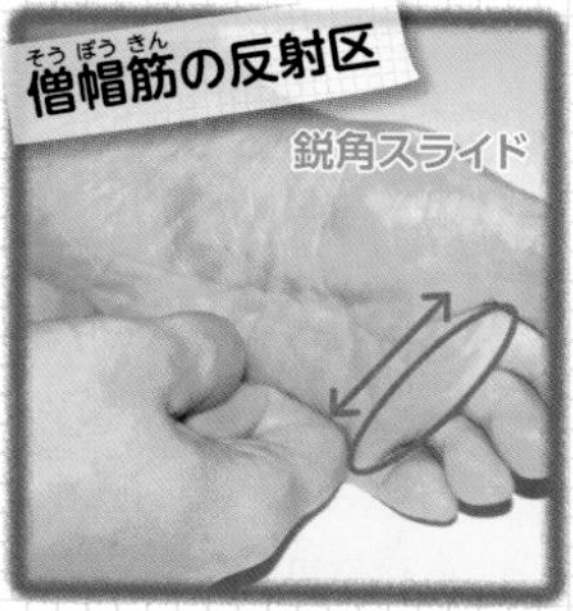

足の人差し指から小指にかけて、帯状の反射区が指のつけ根に広がっている。強めにしごいて刺激を与える。

38 捻挫と骨折
相関部分をもんで治癒を早める

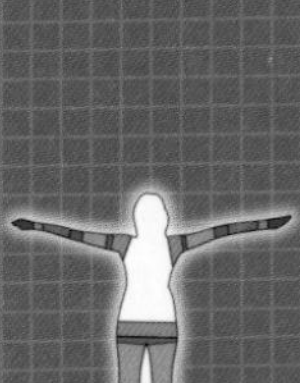

「捻挫《ねんざ》」は関節に強い負担がかかり、靭帯《じんたい》や筋肉を傷めることで発症します。骨に異常はないのですが、関節のジョイント部分にある関節包や靭帯が炎症を起こし、腫れや痛みを伴います。ケガをして1日たってから痛みがでてくることもあります。

「骨折」の場合も、治療は長引きます。「ヒビが入った」と表現される亀裂《きれつ》骨折は、骨折の中でも、もっとも軽い症状。お年寄りなどは急激な運動をした際に、ろっ骨にヒビが入ってしまうことがよくあります。すぐに固定すれば回復は早いのですが、骨折だとは気づかず、痛みがあるにもかかわらず、そのまま放置してしまうこともあるようです。

骨がポッキリ折れてしまう完全な骨折や、骨の破片が体内でバラバラにくだけ散る複雑骨折の場合は、折れた骨からも、骨周辺の傷ついた筋肉からも出血を起こします。

捻挫も骨折も、素人判断は禁物です。すぐに医師の診断を受け、症状がはっきりしてから足もみをスタートさせましょう。

「足健道」では、捻挫や骨折に対して「手足相関《てあしそうかん》」という術式を応用します。

これは文字通り、「手の部位と足の部位には相関性がある」という考え方です。例えば、右足首を捻挫している時に、右手首の同じ場所を指で押すと、同じようなかすかな痛み、腫れを感じるはずです。そこを充分もむのです。

痛いといっても、実際には負傷はないのですから、遠慮なくもみほぐしてください。左の足首も相関関係にありますから、同じようにもみほぐしましょう。

これを応用して、右足首を捻挫した場合、相関関係にある左右の手首や左の足首をじっくりともむことで、右足首の捻挫の回復を早めるというわけです。

ちなみに関節部分の場合は、もみほぐしたあと、よく回してやることも大切です。

もちろん実際に捻挫した右足首を回すことはできませんので、代わりに左右の手首や左足首を回すのです。これで回復は一段と早まります。

「手のひらと足裏」「前腕とふくらはぎ」「ひじとひざ」「肩関節と股関節《こかんせつ》」「肩甲骨《けんこうこつ》と骨盤」など、これらの組み合わせは、すべて相関関係にあります。

詳しくは左の図をご覧ください。

手足相関部分を毎日もむと、捻挫なら数日から1週間程度で熱や腫れが引いていきます。

腕と脚は相関関係にある

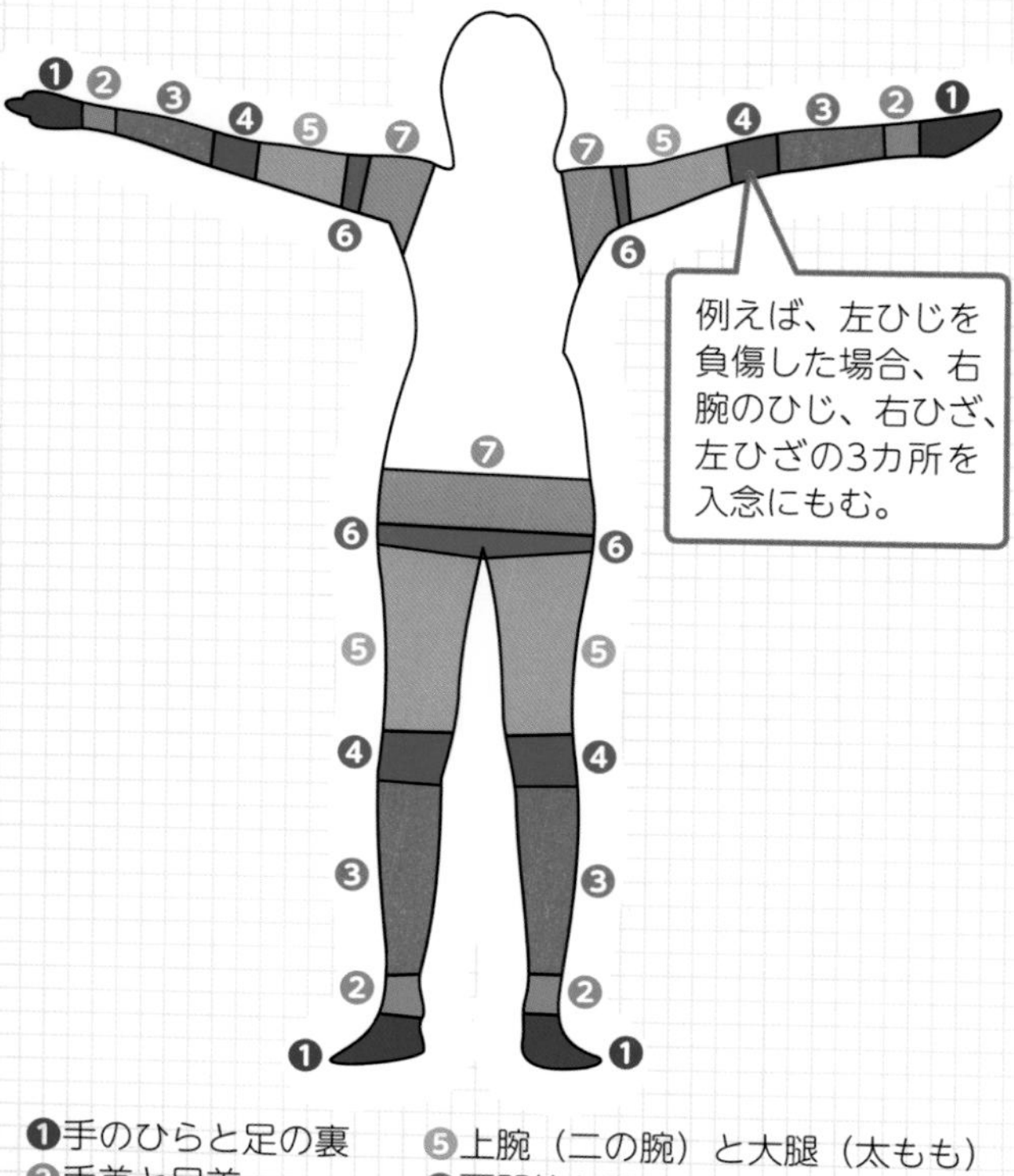
例えば、左ひじを負傷した場合、右腕のひじ、右ひざ、左ひざの3カ所を入念にもむ。

❶手のひらと足の裏
❷手首と足首
❸前腕とふくらはぎ
❹ひじとひざ
❺上腕（二の腕）と大腿（太もも）
❻肩関節と股関節
❼肩甲部と骨盤部

39 タコ・魚の目

ただ、もんでいるだけで、キレイに消える不思議

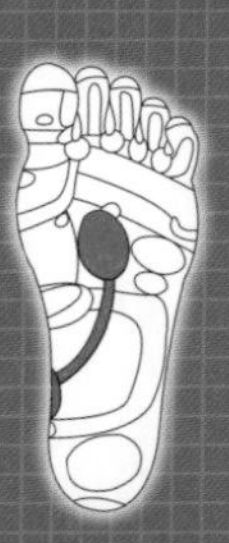

タコや魚の目は、新陳代謝によって、古い皮膚がはがれ落ちる前に、次の皮膚が生まれて肥厚してしまう症状です。タコは皮膚の外側に向けて皮が厚くなるため、それほど痛みはありませんが、魚の目は身体の内側に向かって皮が厚くなるので、それが神経に触り、痛みを感じるようになります。

どちらも、皮膚の同じ場所に長時間の刺激が繰り返し与えられると発生します。足に合わない窮屈な靴をはき続けないようにしましょう。**「足健道」では、タコや魚の目を除去するために、特別なツボや反射区を押すことはあまりしません。「基本のコース」（56ページ参照）を毎日行っていれば、身体のバランスが整い、やがてタコも魚の目もキレイに消えていきます。**一刻も早く治したい場合「基本コース」のあとにタコや魚の目の周辺を、やわらかくなるまでもみほぐすことです。

タコの周辺を徹底的にもむ

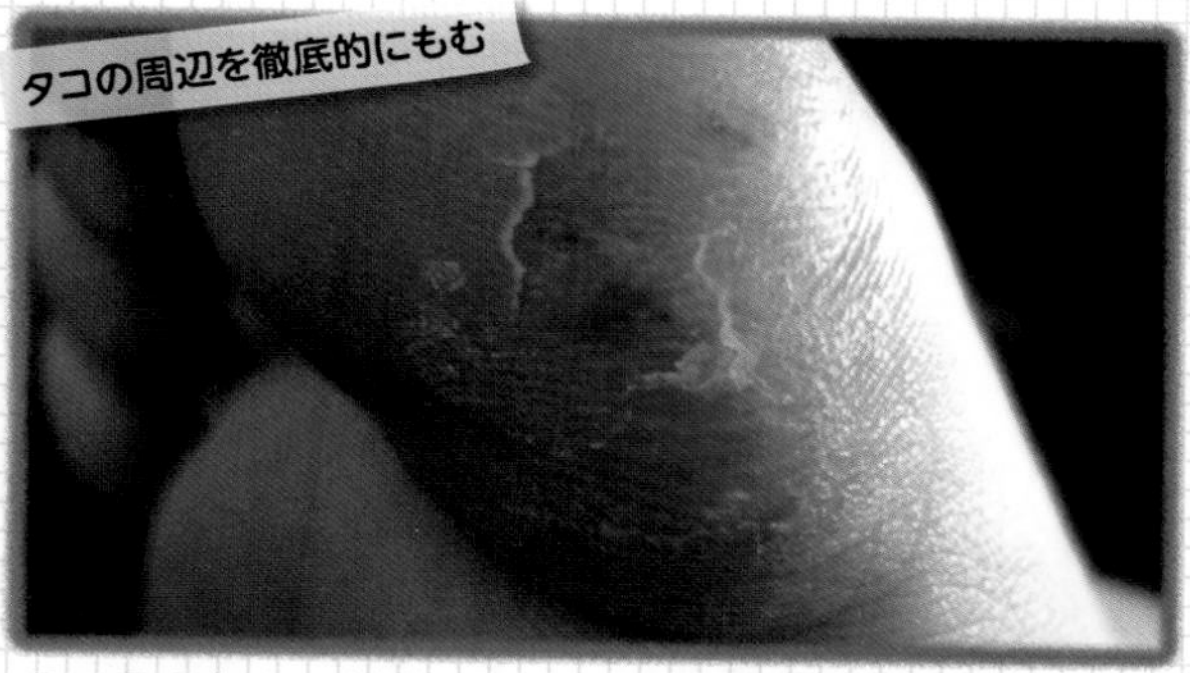

タコそのものに刺激を与えると角質部分が肥大化してしまう恐れがあるので、周辺の健康な皮膚だけを爪のほうまで徹底的にもみほぐす。そのうえで足に合わない靴をはき続けないなど、刺激を避ければ、消えていく。

魚の目も周辺を念入りにもむ

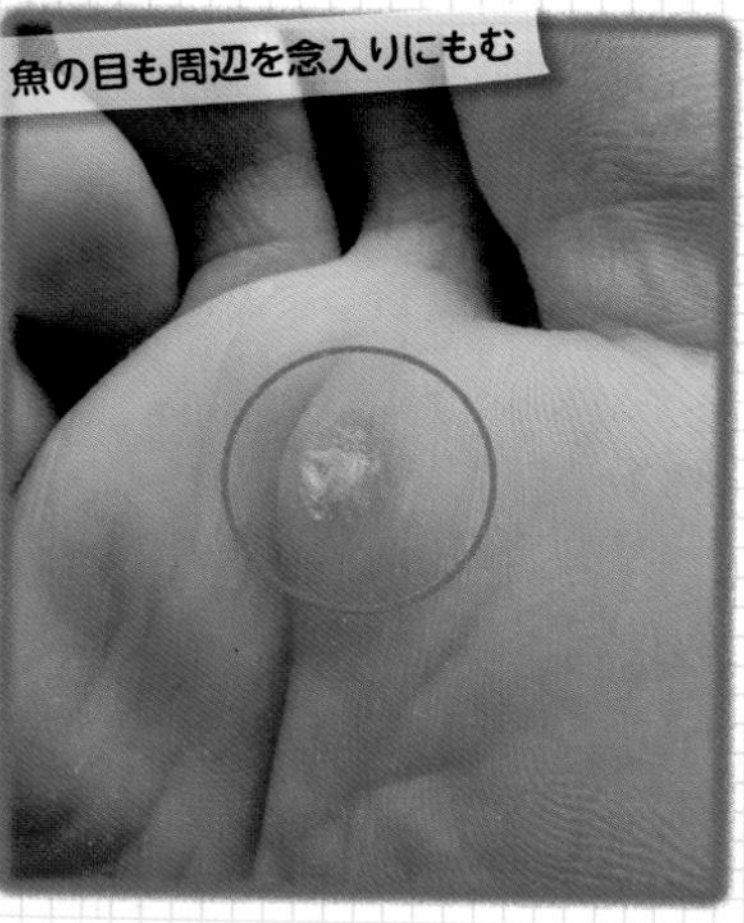

発生の原因や対処法はタコとまったく同じ。だが、タコと違い、痛みを伴うのが魚の目のやっかいな点。患部の中心を押すと強い痛みが走るので、直接患部を刺激せずに周辺の皮膚をもむ。

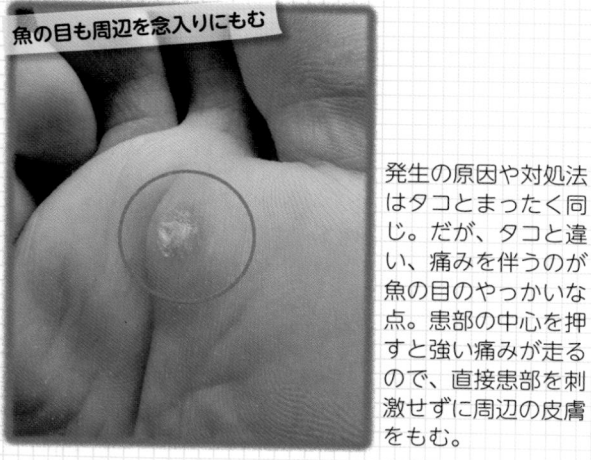

40 X脚・O脚

遺伝のせいにするのは大きな間違い！

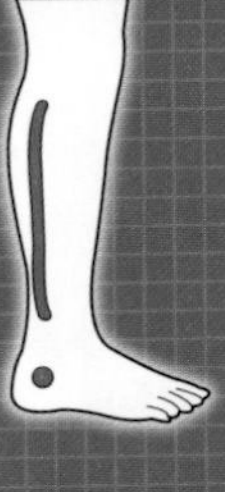

O脚とX脚は日本人に非常に多い症状です。特にO脚は多く、関節がかたくなる高齢者になると、8割近くもの人が、立った状態で両足のひざをくっつけることができません。

実は、生活に支障さえなければ、O脚もX脚もそれほど気にしなくていい症状です。しかし、身体の重心が外側に偏るため、骨盤がゆがんで広がったり、ひざ痛や股関節炎を引き起こすこともあります。また女性にとっては、O脚やX脚がコンプレックスになってしまって、脚を露出するファッションを心から楽しむことができない原因となりかねません。

O脚とX脚は「遺伝的な体型」と思っている人が非常に多いのですが、**重心のかけ方が原因であることが大多数です。**無意識の習慣を矯正するのは大変ですが、**立**

○脚とX脚の立ち姿勢

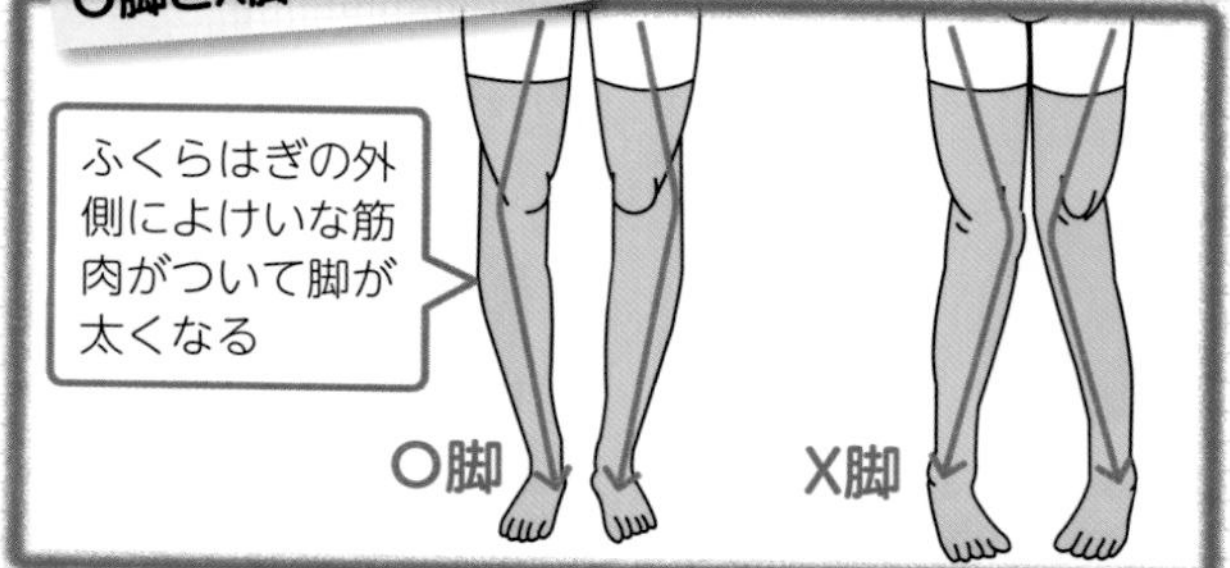

ふくらはぎの外側によけいな筋肉がついて脚が太くなる

○脚の人は足の外側（小指側）に体重をかけているため、必然的にひざが外側にふくらんでしまう。X脚はその逆で、足の内側（親指側）に体重をかけているため、自然と内股になってしまう。

足裏に正しく重心をかける

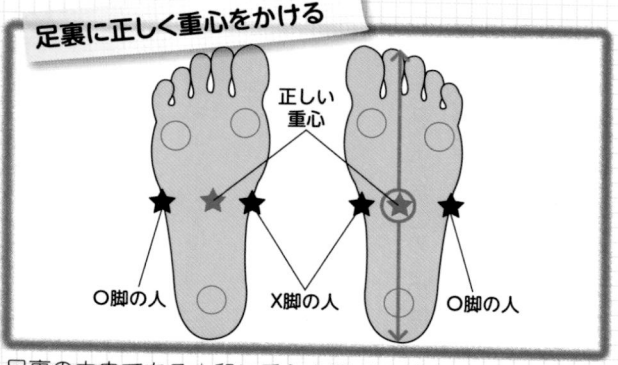

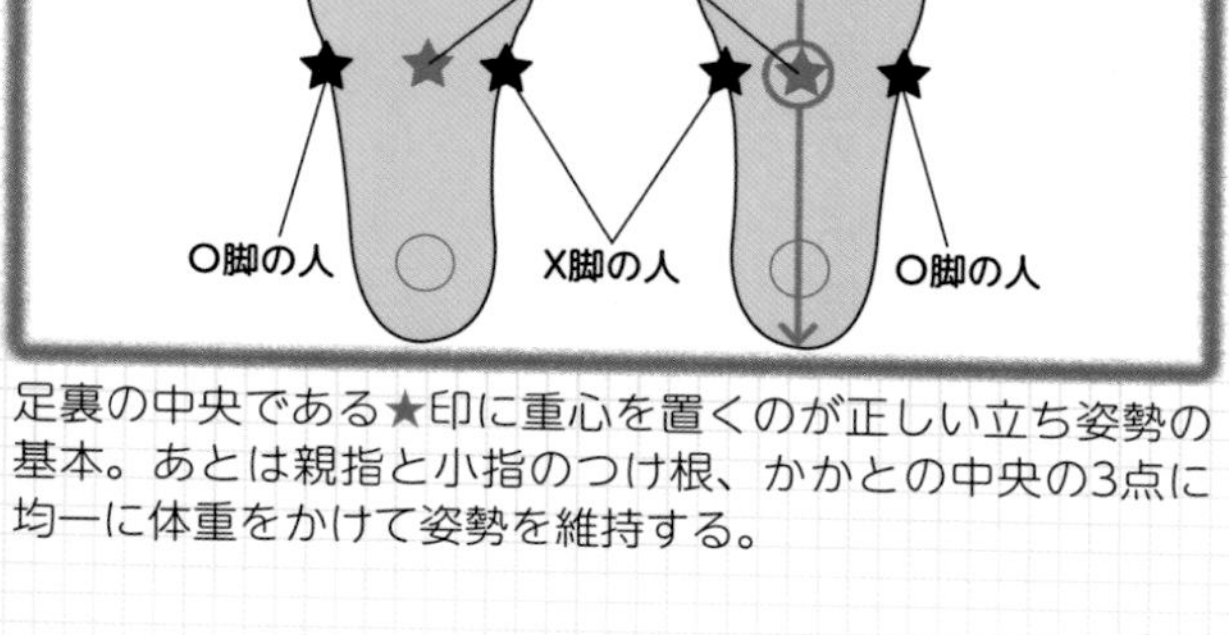

正しい重心

足裏の中央である★印に重心を置くのが正しい立ち姿勢の基本。あとは親指と小指のつけ根、かかとの中央の3点に均一に体重をかけて姿勢を維持する。

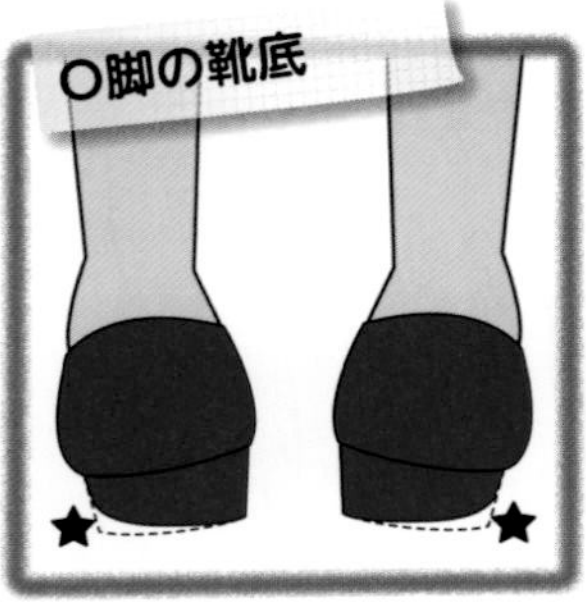

外側がすり減っている。

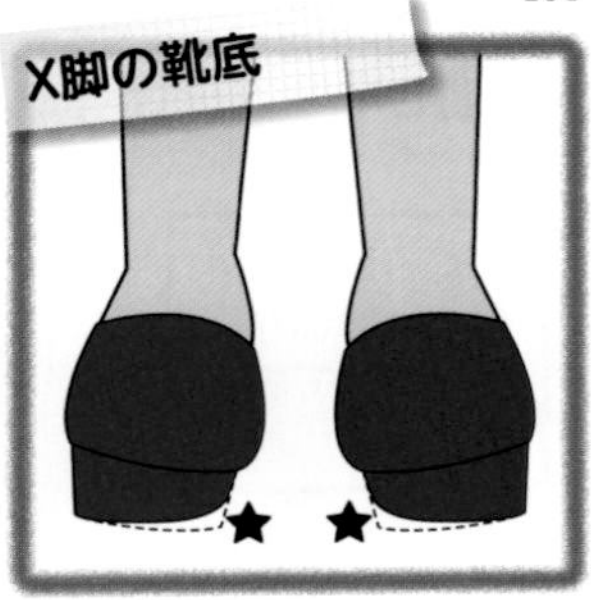

内側がすり減っている。

ち方の改善と、足もみの継続で、ほぼ例外なく完治します。

O脚とX脚は一時的な治療よりも、普段からの足の重心のかけ方を正しく保つことがもっとも重要です。

靴底のすり減り具合をチェックして、正しい立ち方を心がけましょう。

O脚は靴底の外側、X脚は内側が極端にすり減っています。立ち姿勢や歩く姿勢を矯正するための参考になるでしょう。

「足もみ」でもっとも効果が見こめるのは、ふくらはぎにある「坐骨神経の反射区」です。ここを中心に、足首とくるぶしの周辺を丁寧にもみほぐしましょう。

また、太ももの筋肉も合わせてもみ、筋肉のこわばりをとりのぞくことも矯正に効果的です。

太ももの筋肉

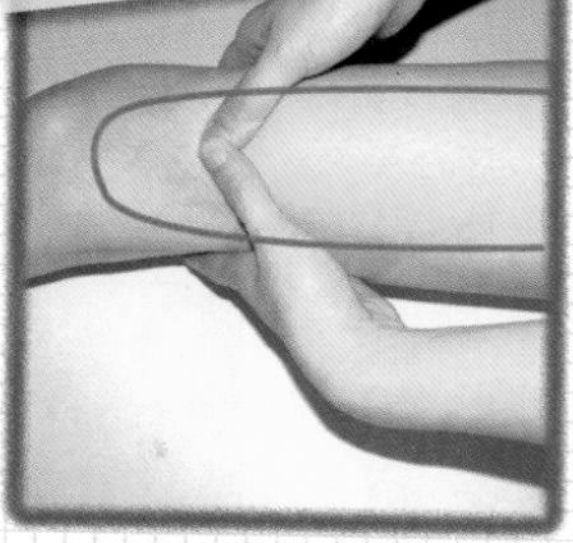

太ももの筋肉のこわばりをほぐすとX脚とO脚の改善は加速する。O脚の人は外側の筋肉を、X脚の人は内側の筋肉を念入りにほぐす。

坐骨神経《ざこつしんけい》の反射区

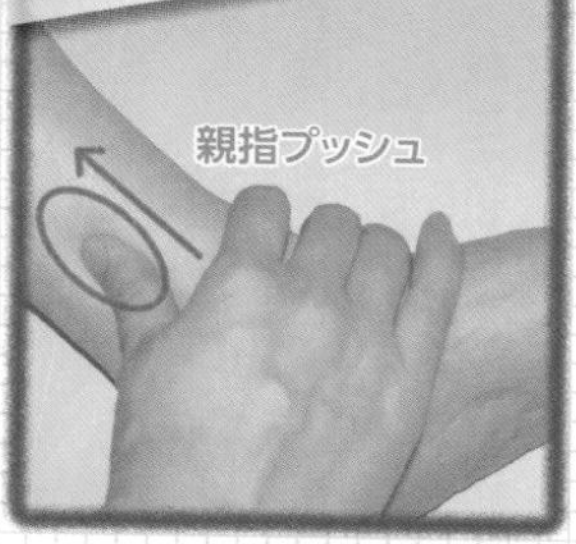

かたいところや痛みの強いところを探して３秒間の安定圧をかける。O脚の人は外側を、X脚の人は内側を念入りにほぐす。

股関節《こかんせつ》の反射区（足の外側）

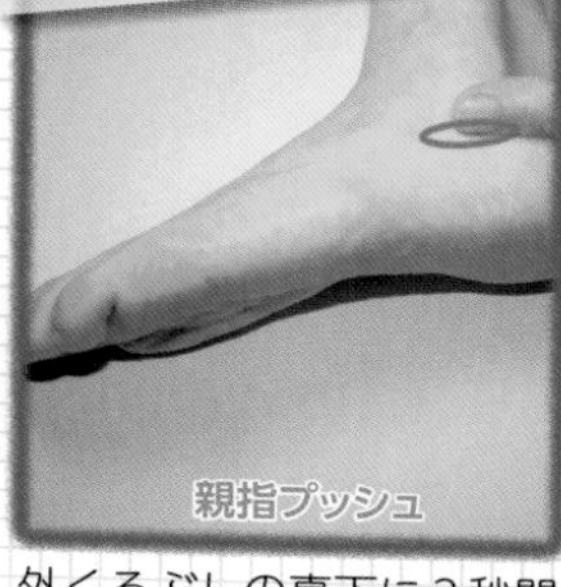

外くるぶしの真下に３秒間の安定圧をかける。くるぶし周辺も同時にもみほぐす。

股関節《こかんせつ》の反射区（足の内側）

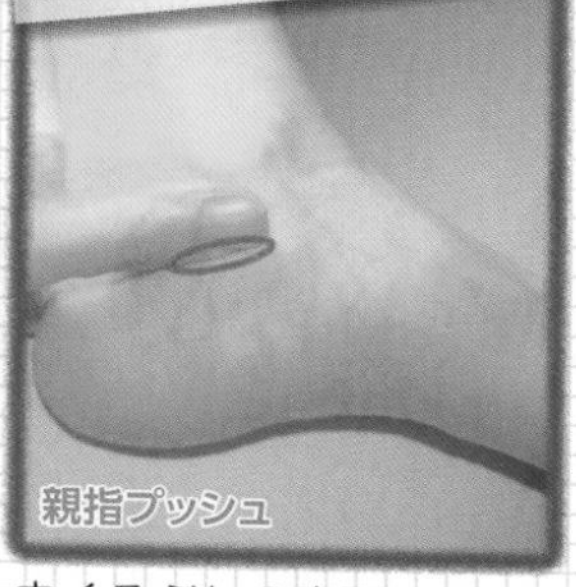

内くるぶしの真下に3秒間の安定圧をかける。くるぶし周辺も同時にもみほぐす。

41 ハンマートゥ

伸ばしながらもみ続ければ、必ず完治する

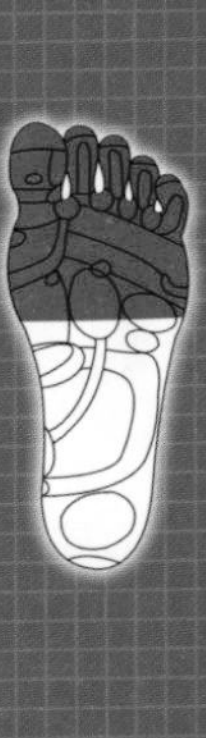

ハンマートゥとは、足の指先が曲がったままになってしまう症状。足の形に合っていない靴を長時間はき続けた結果、靴の中で足が前にすべってしまい、強い負荷がかかって曲がったままの形で固定されてしまうのです。窮屈なハイヒールなどをはく機会が多いので、結果として圧倒的に女性に多い症状となっていますが、合わない靴をはき続ければ男性でも発症します。

ハンマートゥの場合は、**曲がっている指だけではなく、両足のすべての指を伸ばしながら丹念にもみほぐしましょう。**

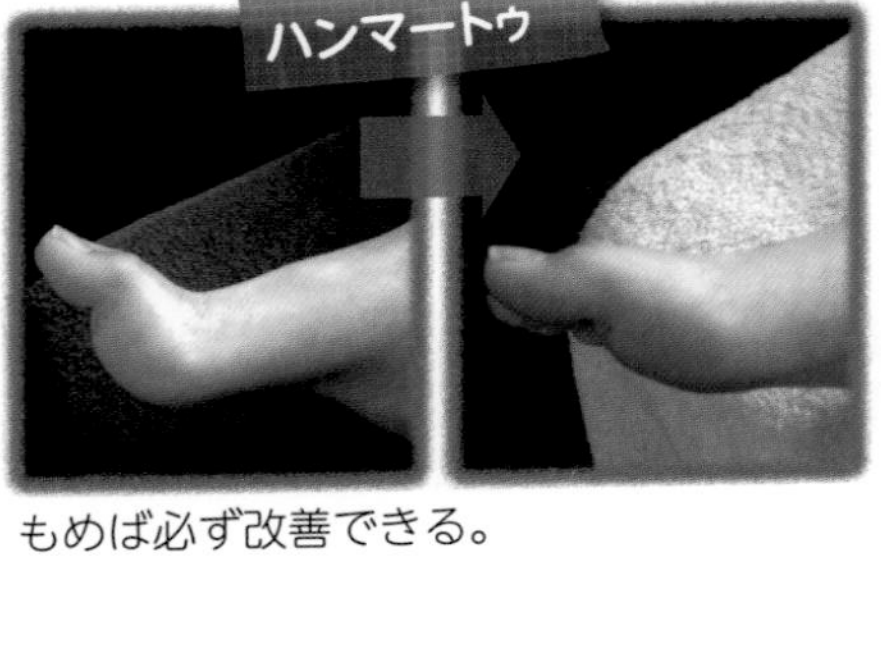

もめば必ず改善できる。

全指をもみほぐす

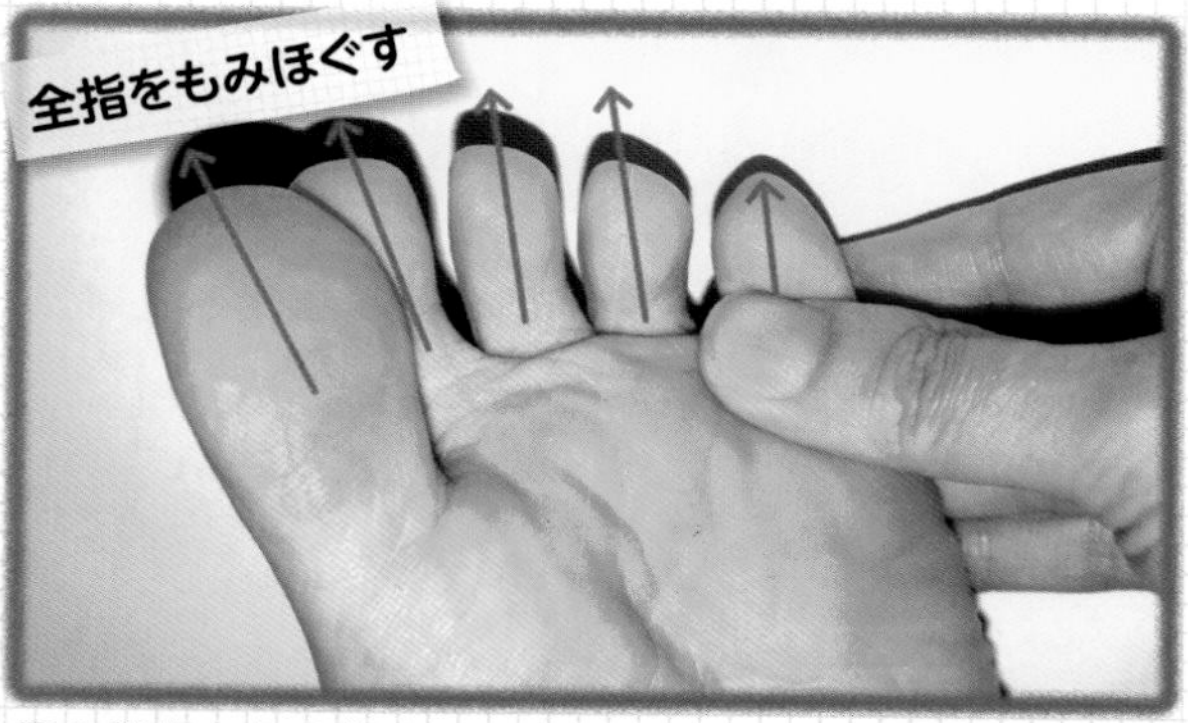

足の親指から小指までを順番に、それぞれの指をひっぱって伸ばしながら、もみほぐす。曲がった指だけではなく、正常なすべての指をもみほぐすことが大切。

甲側の指と指の間をほぐす

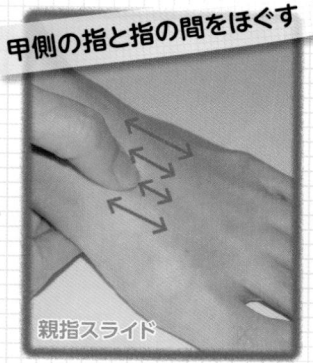

足指の骨と骨の間を、親指をすべらせながら刺激していく。

中足骨《ちゅうそくこつ》をほぐす

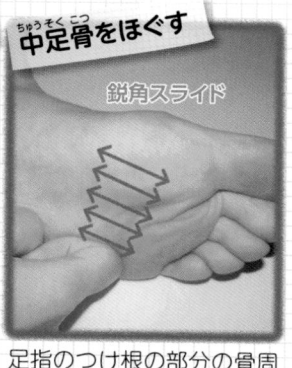

足指のつけ根の部分の骨周辺をもみほぐす。人差し指を鋭角にして、ゴリゴリと上下にすべらせていく。

Chapter 7

食事の制限やきつい運動は、いっさい不要！

下半身からみるみるやせる！「足もみダイエット」

たった1回、もんだだけで、ハイヒールが、グンとセクシーにはける足首に、細身のブーツもスルッとはけるふくらはぎに、そして小顔に！

真面目にダイエットにとりくんでいる方に怒られてしまうほど即効性がある、「足健道」のやせワザを、こっそりお教えします。

なぜ1回でこんなにスリムに!?

足（脚）は心臓から遠い位置にあるうえ、立っている時は地面に一番近い位置にあります。そのため、重力に引かれた老廃物がたまりやすい場所です。

下半身にとどまった老廃物は、分解も排泄もされず、下半身にビッシリとこびりつきます。私の経験上、代謝が活発な若者でさえ、ほぼ100%、下半身に老廃物をためこんでいました。

「足健道」の足もみは、下半身にたまった老廃物をたった1回の施術で大量に除去することができ、ほとんどの人の足が1～3センチ細くなります。

1カ月のサイズダウンの一例

	右足首	左足首
施術前	20.0cm	19.0cm
施術後	▼2.8cm	▼1.9cm
	右ふくらはぎ	左ふくらはぎ
施術前	32.9cm	32.5cm
施術後	▼3.8cm	▼3.5cm
	右太もも	左太もも
施術前	44.8cm	44.0cm
施術後	▼4.3cm	▼3.5cm

たった1回もむだけでこんなに足が細くなる!

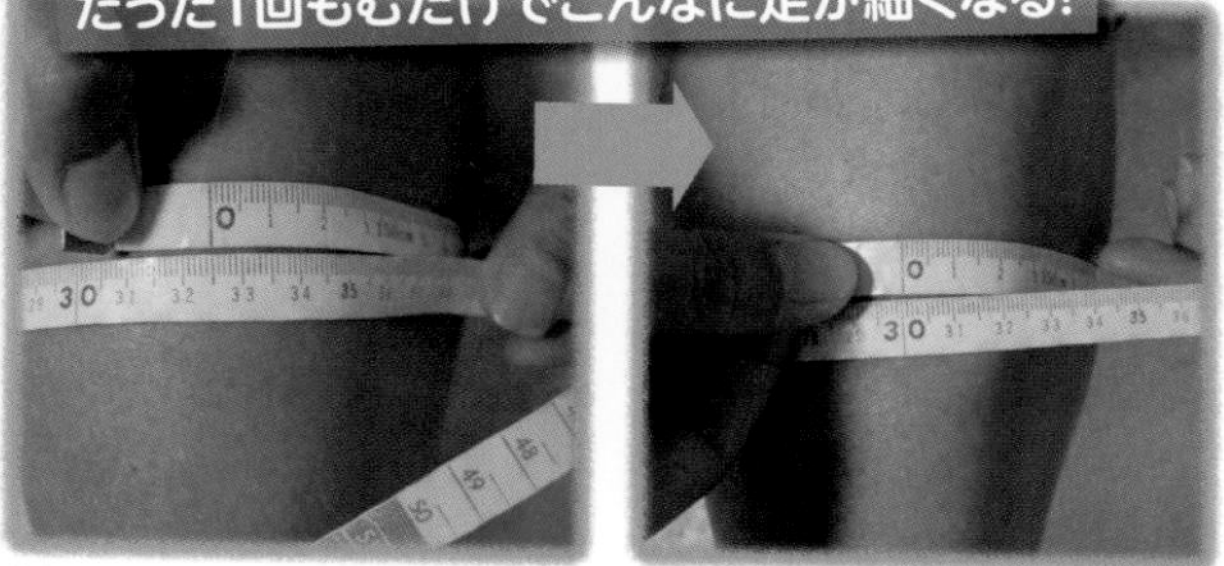

被写体の女性は決して肥満体ではありませんがわずか10分、ふくらはぎをもんだだけで2.5センチものサイズダウンを達成しています。

1週間もんだケース

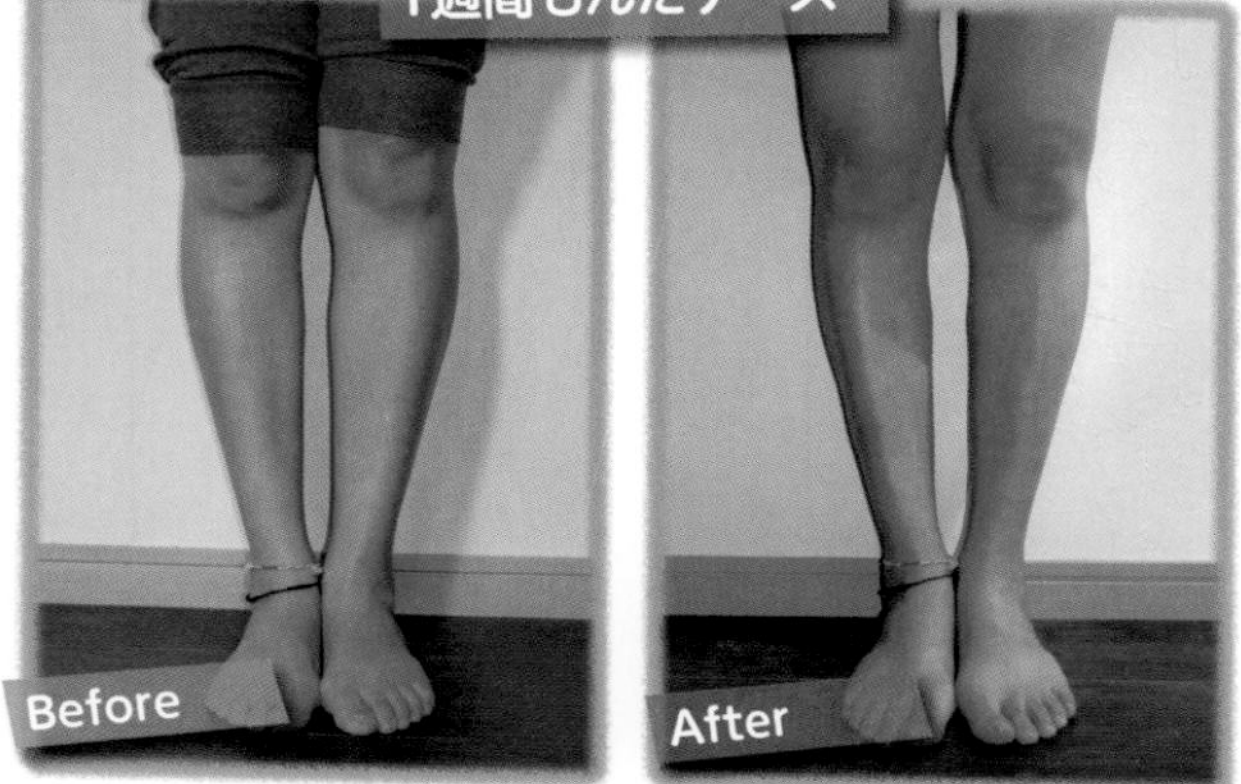

もともと細かった“ひざ下”ですが、さらに細くなり、体調もよくなりました。「足健道」の足もみは下半身の健康的なダイエットに絶大な威力を発揮します。

ウエストが1～3センチ細くなるとても嬉しいものですが、**足が、1～3センチも細くなると、見た目もビックリするほど変わります。**ウエストでいえば、2～6センチ減るのと同じくらいのインパクトがあります。

足やせの効果がでやすい人、でにくい人

これまでいろいろなダイエットに挑戦したことがある人なら、ダイエットのむずかしさ、特に部分やせの難しさを、嫌というほど知っているでしょう。

しかし、「足健道」のダイエット効果は、紛れもなく本物です。施術前と施術後の足の太さを採寸すると、100％の確率でサイズダウンを達成しています。

ところが、まれに0・2～0・3センチ程度しか細くならない人がいます。このような人は、身体が強く冷えています。身体が冷えると血行が悪くなり、身体の代謝機能も上がりません。その結果、足もみにかぎらず、医療機関のマッサージなどすべての施術を効きにくくしてしまいます。70ページを参照して、冷えを除去することから始めてください。

アキレス腱を今すぐチェック！

足を細くする前に、姿鏡の前に立ち、直立した状態で振り向いて、自分のアキレス腱を確認してみましょう。誰かに写真を撮ってもらってもいいでしょう。

結論からいいますと、実は確認するまでもなく、ほとんどの人のアキレス腱周辺には、老廃物がこびりついています。

私も、鏡に自分のアキレス腱を映してみて、がっかりしたのを覚えています。決して肥満体ではなかったのに、足はずんぐり。その後、自分で足をもみ始めたら、すぐに全体が細くしまってきました。

2週間、足をもみ続けた結果

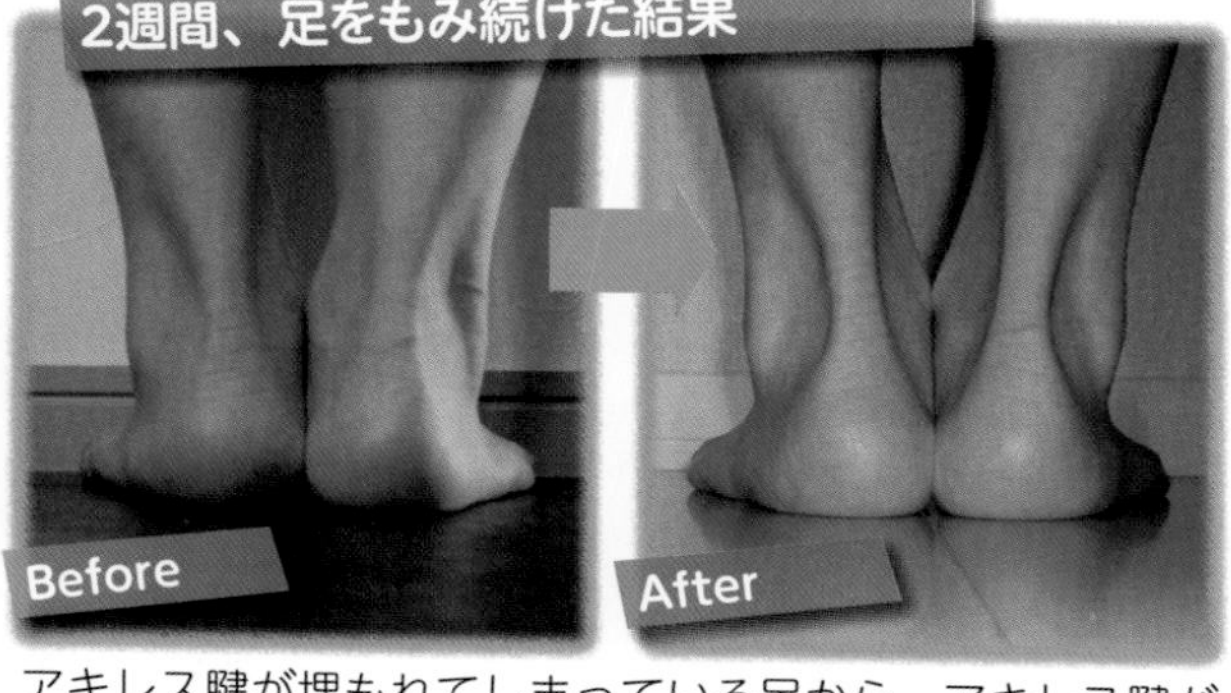

アキレス腱が埋もれてしまっている足から、アキレス腱がクッキリと浮き上がった見事な足首に生まれ変わりました。華奢《きゃしゃ》な足首は、それだけで女性の魅力を引き立てます。

42 下半身ダイエット
女性らしい魅力も同時にアップ！

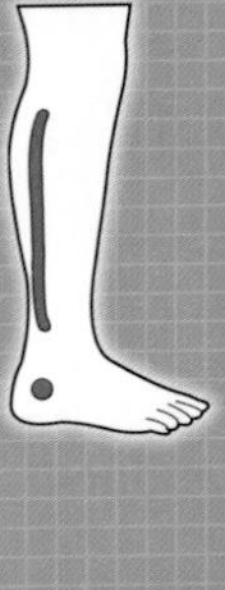

たんに足を細くするためだけなら、反射区やツボを気にする必要はありません。毎日、くるぶし周辺とふくらはぎ全体を丁寧にもみほぐしていれば、自然と細くなっていきます。ただし、本格的なダイエットの一環として実践する場合には、「基本のコース」（56ページ参照）に加えて、次のページの3つの反射区とツボを刺激することが重要です。

女性の場合、老廃物をだすと同時に、子宮や直腸、卵巣、下腹部など、「女性ホルモンに関係する反射区」を刺激することで、ダイエット効果も魅力もさらにアップします。男性は前立腺、睾丸、下腹部などの反射区を同時に刺激してみましょう。

太ももにセルライトがある方は、普通にもんでも決してなくなりませんが、足もみで代謝を高めた状態でもめば、必ず細くなります。

子宮《しきゅう》・前立腺《ぜんりつせん》の反射区

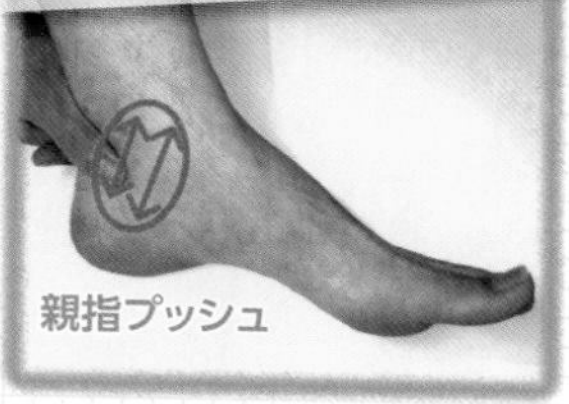

内くるぶしのすぐ横にあり、子宮・前立腺の反射区とは対照的な位置にある。同じように親指で点圧し、ブチブチした老廃物を丹念につぶしていく。

太ももをもみほぐす

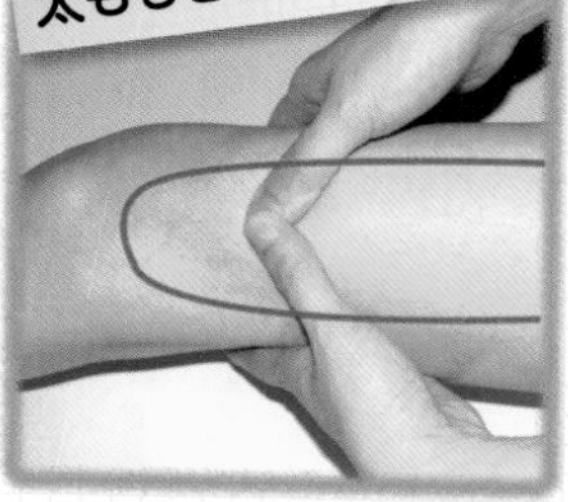

「基本のコース」で代謝を高めたあと、太もものセルライトを入念にもみほぐす。施術後の白湯は少し多め（300cc）に飲むこと。

坐《ざ》骨《こつ》神《しん》経《けい》の反射区

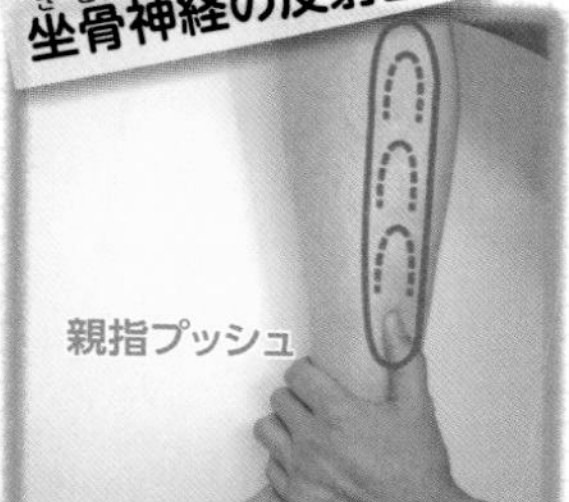

足の内と外両側にある。くるぶしの真横から親指を骨の際に押しつけ、親指の幅ずつ、ずらしながらひざまで押圧していく。

卵巣《らんそう》・睾丸《こうがん》の反射区

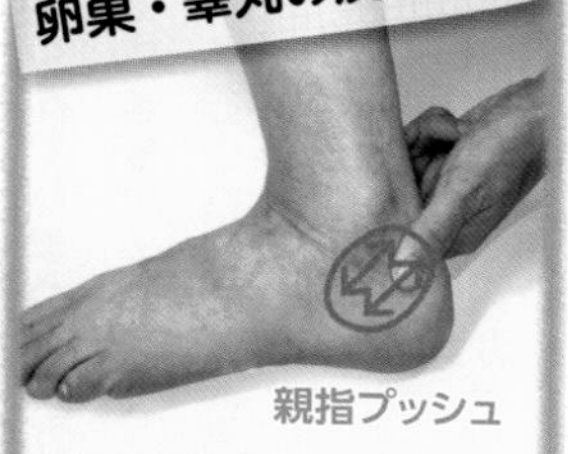

外くるぶしのそばにある。反射区全面を点で埋めつくすように、親指で押圧していく。ブチブチした老廃物があれば、親指で押しつぶすように圧力をかける。

43 二重アゴ・顔のむくみ

キュキュッとしまった小顔も、足もみで簡単実現！

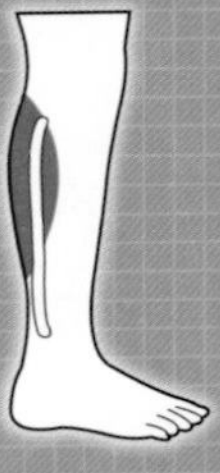

「足健道」の足もみは、二重アゴの解消にも絶大な威力を発揮します。二重アゴの正体は、ほぼ例外なく「むくみ」であり、顔やアゴを直接もむ必要はなく、足もみだけでキレイさっぱり除去することができるのです。

お酒を飲みすぎた翌日、ボッテリと顔がむくんでしまうことがありますが、これも二重アゴと同様、すぐに解消することができます。

二重アゴや顔のむくみは、足もみの効果があらわれるのが非常に早く、ほとんどの場合、施術後数時間でスッキリします。

外出がためらわれるほどむくんでしまった時は、ぜひ、出勤前に20分の時間を作り、足もみをしてみてください。出社するころにはむくみがとれ、ランチを食べるころには、いつもと変わらないイキイキとした表情に戻ることができます。

1回もんだだけで!!

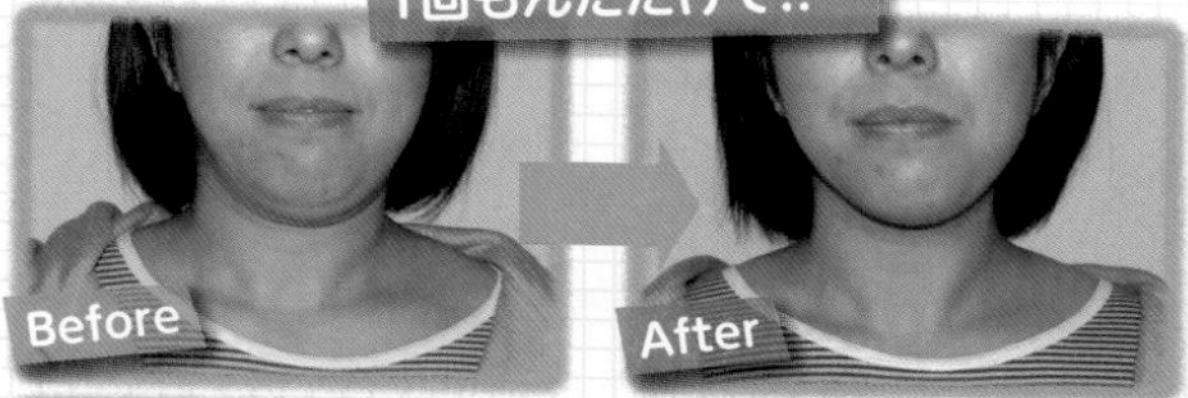

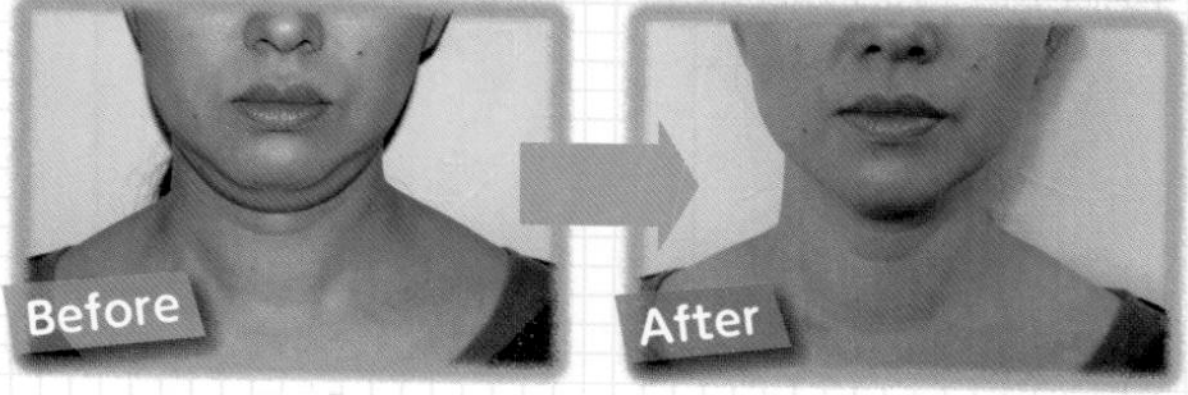

ツボ3・足心《そくしん》

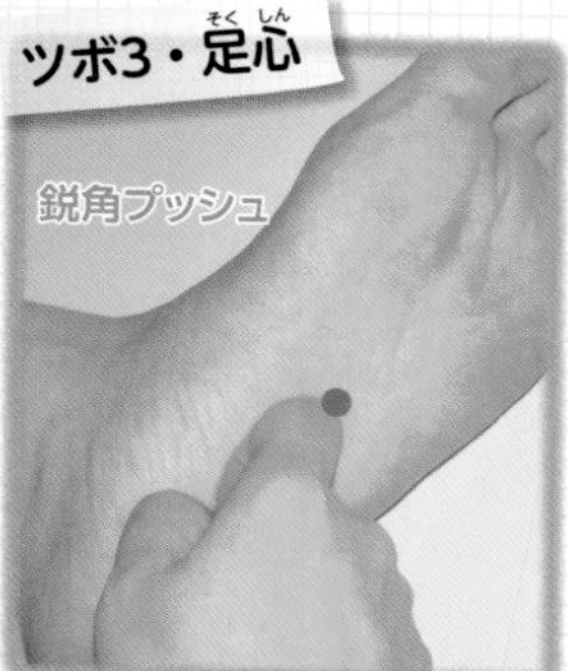

足裏のほぼ中央にあるツボで、ズバリ「瘦身《そうしん》」に効果がある。足裏に穴をあけるつもりで強く力を入れ、3秒間の安定圧をかける。

ふくらはぎをもむ

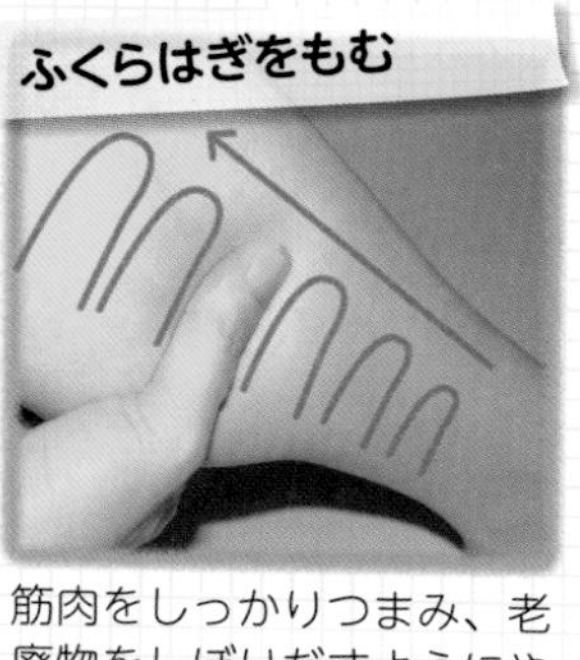

筋肉をしっかりつまみ、老廃物をしぼりだすようにやわらかくなるまで強くもみこむ。「基本のコース」の一部でもある重要な施術だが、スピーディーに老廃物を除去する場合は特に重要。

完璧な美ボディーをキープするコツ

食事を減らしてやせようとすれば、必要な筋肉まで落ちてしまうことがあります。そうなれば、代謝は落ちるし皮膚はたるむし、一時的にはよくても、すぐにリバウンドを繰り返すような身体になってしまうでしょう。

でも「足もみダイエット」には、そんな心配はいりません。

実際のところ、あまり上手ではない人がもんでも、2週間ももめば、グンと下半身が細くなっているはずです。

しかし、二度とリバウンドしない身体に変わりたければ、理想のサイズにまで細くなったとしても**「3カ月間は、継続すること」**です。

なぜなら、全身の細胞は、約3カ月ですべてが生まれ変わるといわれているからです。それまでの間、毎日欠かさずにもめば、完全に、真新しい身体に生まれ変わります。しかも身体には現状を維持しようとする機能が働くため、老廃物のないキレイな状態が3カ月間続けば、そうそうリバウンドするものではありません。

ただし、日常生活で、立ちっぱなしや座りっぱなしの時間が長い方は、ふくらはぎのマッサージだけでも継続してください。このケアがリバウンドを防ぎます。

毎日測ればモチベーションが上がる

ダイエットを継続する難しさは、皆さんご存じでしょう。「足もみダイエット」は、食欲をムリに我慢する必要がないため、たくさんの方に人気がありますが、飽きっぽい人には「毎日欠かさずもむこと」が少し面倒に感じるかもしれません。

そこで、三日坊主を克服する秘策があります。それは、ただサイズを毎日、測るというもの！

「初日から○センチ細くなった！」

「昨日あれだけ細くなったのに、今日また○ミリ細くなった！」

施術前と施術後に採寸するだけで、もむのが楽しくて仕方なくなるものです！

Chapter 8

元気とヤル気が湧いてくる！

心のダメージがカラッと晴れる「足もみ」

ケガや病気の治癒を助け、ダイエットにも効果がある……。

いいことずくめの足もみは、実は「心の病」にも、驚くほどの効果を発揮します。

特に、「うつ病」と闘っている方は必見です。

心のエネルギーを強力にチャージする特効ツボを紹介していきます。

44 うつ病
家族がもんであげても効果はあります

うつ病は脳の神経伝達物質であるセロトニン、ノルアドレナリンの減少によって起こると考えられています。神経症と混同されがちですが、うつ病は自分を責める傾向があるのに対し、「神経症は相手を攻める」というはっきりした特徴があります。

実は、**セロトニンのほうは生活習慣でふやすことができます。**その生活習慣と気分を晴れやかにするために効果的な「足もみ」を紹介しましょう。

「足もみ」はうつ病に対しても非常に効果がありますが、うつ病患者本人が義務感にかられて自分の足をもんだり、効果がでるまでの期間を不安に感じてしまっては自責の念に拍車をかけてしまいます。**もし、ご家族がうつ病で悩んでいるのであれば、ぜひ、ご家族のほかの方が足もみを行ってあげましょう。**うつ病患者にとって、もっとも効果があるのは、心を許せる人から足をもんでもらうことなのです。

大脳／小脳／頭蓋底《ずがいてい》の反射区

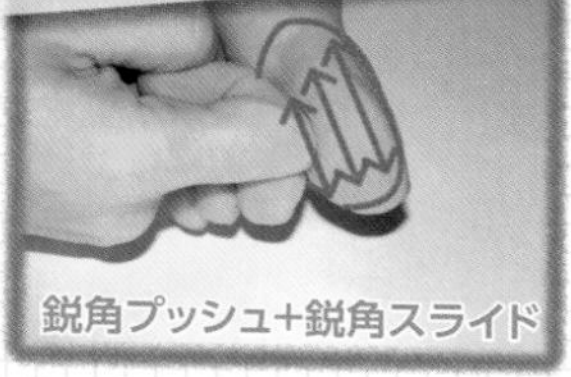

足の親指には頭痛に効く反射区が集中している。親指全体を鋭角プッシュをしたあと、しごく。さらに痛いところやブチブチした老廃物を押しつぶすように3秒間の強い安定圧をかける。

セロトニンがでる習慣

❶毎日朝陽を浴びる

❷セロトニンをふやす食品を食べる

牛乳、ナッツ類、バナナ、納豆、赤身肉、ごまなど

❸単純動作をリズムよく繰り返す

ウォーキング、写経、深呼吸など

ツボ5・隠白《いんぱく》

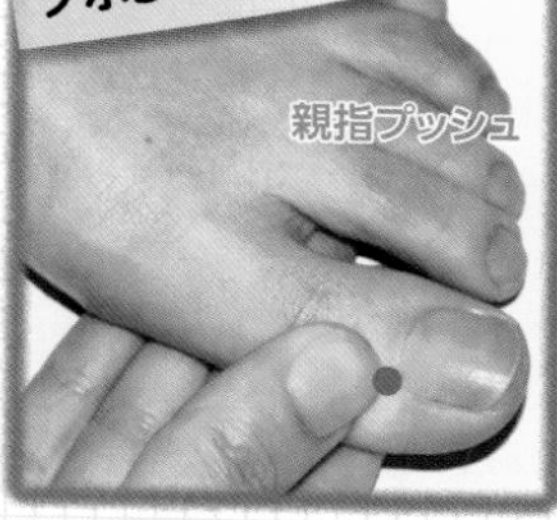

足の親指の爪のつけ根から少し足の内側へずれたところにあり、精神を安定させる効果がある。親指で3秒間の安定圧をかける。

上部リンパ腺《せん》の反射区

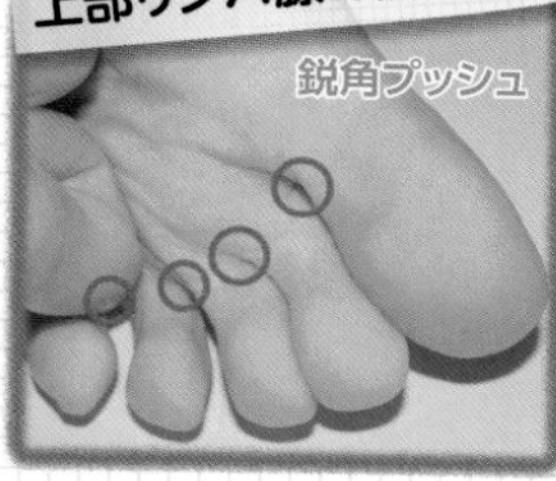

足指の間のつけ根には、上部リンパ腺（頭・あご）の反射区がある。それぞれ3秒間の安定圧をかける。セロトニンを脳内に行きわたらせる効果がある。

45 自律神経失調症

健康な人でも心身のバランスが崩れると……

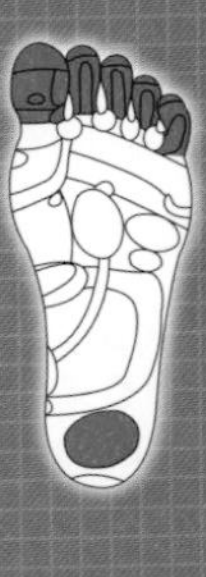

心と身体のバランスを崩してしまう代表的な病気の1つに「自律神経失調症」があります。正式に定義された病状はなく、うつ病やパニック障害などと似たような症状を示すこともあります。いろいろな病院を渡り歩いた結果、「自律神経失調症」と診断されたら、原因は医師にもわからない状況だと思って間違いないでしょう。

自律神経失調症、ノイローゼ、うつ病など、心と身体のバランスが微妙に崩れて発症する病気に対して、「足健道」の足もみは、非常に相性がいいのです。全身の調子を整え、気力を回復させて、医師が特定できないトラブルを根本的に解決してくれることが多々あります。

心と身体のバランスが乱れていると感じたら、足の指を刺激しましょう。自分で手軽に自律神経の調整ができます。

全指を回す

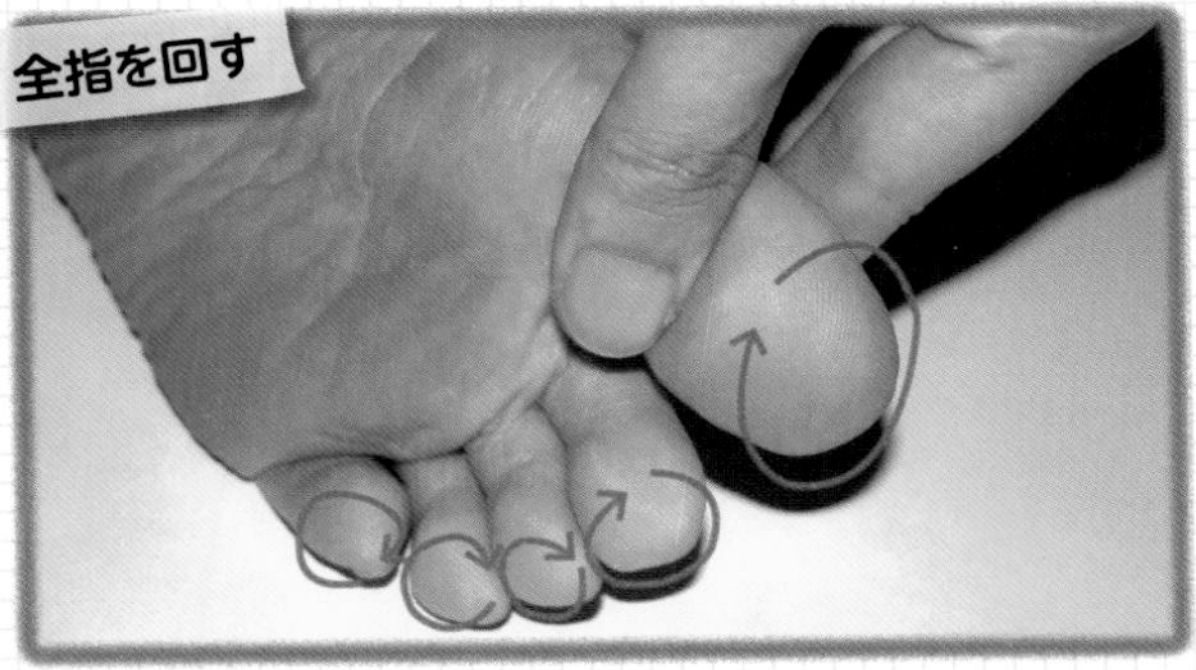

指を押しこむようにして、手の指をつけ根に当てて左右に10回ずつ回す。末梢神経が活性化し、下半身の血流もよくなる。

大脳の反射区

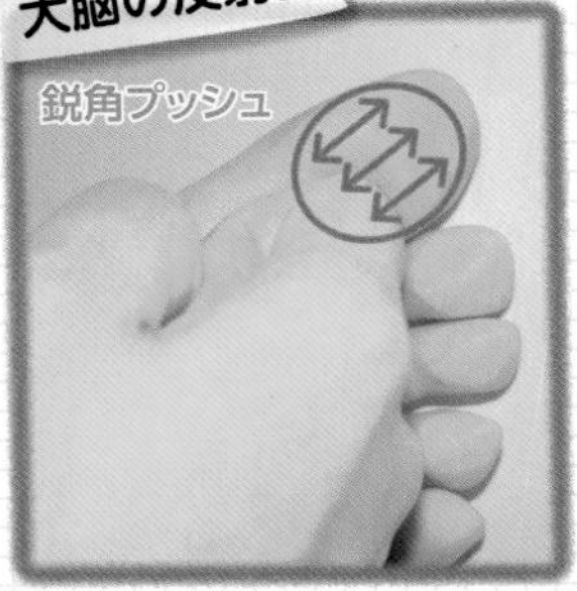

脳に関する反射区が密集する足の親指を全面的に刺激する。ブチブチした老廃物には、3秒間の安定圧をかける。

生殖腺《せいしょくせん》の反射区

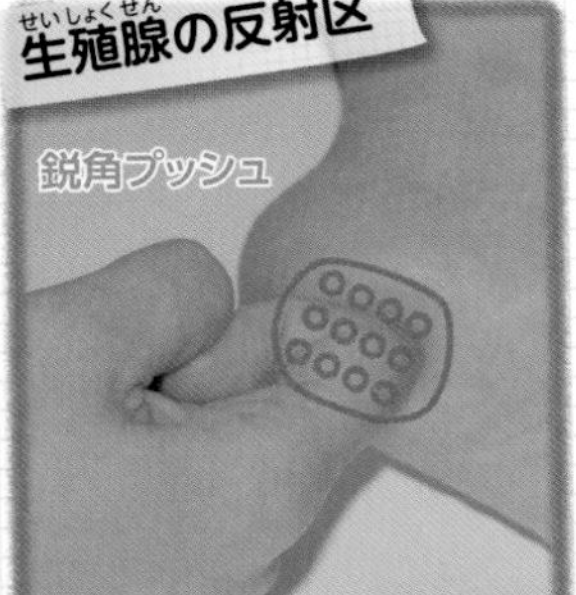

冷えに効く。かかと全体を鋭角で点圧する。点で面を埋めつくすように、3秒間の安定圧を繰り返しかける。

本書は、本文庫のために書き下ろされたものです。

「足《あし》もみ」で心《こころ》も体《からだ》も超健康《ちょうけんこう》になる！

著者　田辺智美（たなべ・さとみ）
発行者　押鐘太陽
発行所　株式会社三笠書房
〒102-0072 東京都千代田区飯田橋3-3-1
電話　03-5226-5734（営業部）　03-5226-5731（編集部）
http://www.mikasashobo.co.jp
印刷　誠宏印刷
製本　ナショナル製本

 ISBN978-4-8379-6703-3 C0130

王様文庫

腹を凹ます体幹力トレーニング

木場克己

「きつくない」のに確実に凹む！　しかも、樹木の幹ともいえる「体幹」を鍛えれば、あらゆる潜在能力が目覚める。1日5分で脂肪を燃やして基礎代謝UP。自宅でみるみる「魅力的な自分」に変身できる。運動が苦手な人でもできる簡単「コア・トレ」。トップアスリート用メニューも公開。

GETTAMAN式 肩甲骨《けんこうこつ》ダイエット

GETTAMAN

肩甲骨には脂肪を燃やす褐色細胞が集まっています。本書で紹介する第一線で活躍するモデル、女優、アスリート、トップ経営者などをサポートするスペシャル・プログラム実践していただければ、野性動物のようにしなやかで魅力的な体と若さが手に入ります。

「野菜から食べるだけ」ですぐ5キロ減！

梶山靜夫
今井佐恵子

ヤセられるかどうかは、「何を我慢するか」ではなく、「何から食べるか」。肉や魚のおかず、ご飯・パンから食べずに「野菜から食べる」。たったこれだけで、同じものを食べても自然に体重は減っていくのです！

K30280

眠れないほど面白い『古事記』

由良弥生

意外な展開の連続で目が離せない！　「大人の神話集」！　●【天上界vs.地上界】出雲の神々が立てた〝お色気大作戦〟●【恐妻家】嫉妬深い妻から逃れようと〝家出した〟神様　●【日本版シンデレラ】牛飼いに身をやつした皇子たちの成功物語　……読み始めたらもう、やめられない！

大人もぞっとする【初版】グリム童話

由良弥生

まだ知らないあなたへ――「メルヘン」の裏にある真実と謎●魔女（実母？）に食い殺されそうになったグレーテルの反撃……【ヘンゼルとグレーテル】●シンデレラが隠していた恐ろしい「正体」……【灰かぶり】●少女が狼に寄せるほのかな恋心……【赤ずきん】　……ほか全9話！

「心が凹《へこ》んだとき」に読む本

心屋仁之助

自分の心とは、一生のおつきあい。だから、知っておきたい〝いい気分〟を充満させるコツ！　誰かの一言がチクッと心に刺さったり、がんばりすぎて疲れてしまったり、うまくいかなくて落ち込んだり……。そんな〝へこんだ心〟を一瞬で元気にして、内側からぽかぽかと温めてくれる本。

K30270